NADIA LAKHDARI KING

Je vois la vie en rose

D0785227

Les Éditions
Goélette

Graphisme : Marjolaine Pageau

Révision, correction : Corinne De Vailly, Fleur Neesham
et Élaine Parisien

Illustration de la couverture et typographie des titres : Eva Rollin

Portrait de l'auteure : Karine Patry

© Les Éditions Goélette, Nadia Lakhdari King, 2012

www.editionsgoelette.com
www.facebook.com/EditionsGoelette

Dépôt légal : 4e trimestre 2012
Bibliothèque et Archives nationales du Québec
Bibliothèque nationale du Canada

Les Éditions Goélette bénéficient du soutien financier de la SODEC
pour son programme d'aide à l'édition et à la promotion.

Nous remercions le gouvernement du Québec de l'aide financière
accordée par l'entremise du Programme de crédit d'impôt pour
l'édition de livres, administré par la SODEC.

 Patrimoine   Canadian
canadien   Heritage

Nous reconnaissons l'aide financière du gouvernement du Canada
par l'entremise du Fonds du livre du Canada pour nos activités
d'édition.

 Membre de l'Association nationale des éditeurs de livres

Imprimé au Canada

ISBN : 978-2-89690-416-7

À Ariane

– Jour de l'An –

je n'ai qu'une seule envie,
me laisser tenter

Isa

1er janvier, 8 h 43

J'ouvre un œil, puis l'autre.

Un marteau-piqueur m'attaque le crâne.

Ma langue est collée à mes dents.

J'avale avec peine.

Ce goût... Cette rugosité... C'est comme si un petit animal poilu était venu mourir dans ma bouche pendant la nuit.

Qu'est-ce qui m'a pris, aussi, de boire autant ?

Qu'est-ce qui m'a pris de...

Je me redresse dans mon lit d'un coup sec, malgré le marteau-piqueur, malgré le petit animal poilu.

Non.

Non. C'est impossible. Impossible.

Je tâte le lit à mes côtés.

Ouf. Il n'y a personne.

Et pourtant...

Je suis prise de panique.

Émilie va me tuer.

***

31 décembre, 18 h 20

Le taxi me dépose devant chez moi. Je peste en montant l'escalier en colimaçon archi-gelé. Quel pays de misère. Au Mexique, il faisait BEAU. Et CHAUD. Voulez-vous bien me dire pourquoi nous ne déménageons pas carrément tous là-bas pour y vivre à l'année ? Au lieu d'y aller une fois par an, s'y faire faire de petites tresses, attraper un coup de soleil, acheter trois sombreros et revenir ?

Bon, moi je n'ai pas acheté de sombreros, mais… j'ai fait ma part. Le PIB du Mexique doit singulièrement bien se porter depuis ma visite. J'adore les souvenirs exotiques.

J'enlève mon manteau, mes bottes, ma tuque, mes gants, mon foulard (y en a marre de vivre enrobée comme le bonhomme Michelin), et je dépose mon énorme valise sur le tapis du salon. (Elle m'a valu quelques ennuis avec une dame mesquine à l'aéroport, cette valise. C'est du vol à main armée, ce qu'ils chargent, pour les excédents de poids. Et elle ne m'a pas donné de reçu. Je suis sûre qu'elle s'est mis les cinquante dollars dans la poche.)

J'admire mon butin. Un superbe paréo orangé, teint à la main dans un village côtier. Un chapeau de paille façon Trilby. Un long collier de coquillages. Un bracelet argent et turquoise pour la cheville. Une robe blanche fabuleuse. Une grande serviette de plage rouge. Une statuette de bois qui tout à coup m'apparaît plus hawaïenne que mexicaine. Je regarde dessous : *Made in China*. Allez donc y comprendre quelque chose.

Un autre chapeau de paille, celui-ci à grands rebords mous. Tiens, j'avais oublié ce paréo bleu (lui aussi teint à la main dans un village côtier). Ah, et cet autre collier de coquillages.

Au moins on ne peut pas dire que je n'ai pas de suite dans les idées.

Je me demande quel collier je porterai, ce soir...

C'est la veille du jour de l'An (ma soirée préférée de l'année) et je suis invitée dans une super fête, chez ma meilleure amie, Émilie. Avec elle, c'est toujours la fiesta. Elle a un don. Ça ne s'explique pas. Certains naissent avec un talent pour les échecs, ou le golf. Émilie, elle, a du talent pour faire la bamboula. Dans les fins de soirée, avec elle, on se croirait un peu dans le film *The Hangover*. On commence tranquillement à quatre, dans un resto, et on finit dans un bar paumé avec un noble britannique excentrique, une danseuse russe complètement soûle et un nain contorsionniste. Bon, j'exagère pour le nain, mais vous voyez le genre.

Allez, je m'habille. Je vais aller exhiber mon beau bronzage et tous les faire se sentir encore plus blêmes. Na! Et tant pis pour Émilie, elle n'avait qu'à venir avec moi. La veille de Noël, j'ai gagné un voyage dans le Sud en répondant à une question à la radio. Un voyage pour deux. J'ai bien sûr invité ma grande amie, qui a refusé pour... rester dans le froid et dans la neige, à cuisiner un festin de Noël pour son chum Charles et les deux enfants de celui-ci.

Et on s'entend : Émilie a zé-ro talent domestique. Zéro. C'en est même intrigant.

Je me demande comment elle s'en est tirée, tiens.

Allez, allez, Isa, dépêche-toi!

J'enfile la robe blanche et le collier de coquillages. Je me rends à la salle de bains pour me maquiller. Devant le miroir, je sursaute. Je suis vraiment bronzée. Et cette robe blanche... Elle fait un peu mexicain.

C'est normal après tout, c'est une robe mexicaine, mais...

Il me semble qu'elle était plus belle à Tulum.

Et ce collier de coquillages... Ça fait un peu plage. Pas très urbain. Je suis sûre que les filles vont être top tendance, chez Émilie. Je ne peux pas débarquer là avec mon look de vacancière.

Zut de zut.

J'arrache la robe et le collier, et j'ouvre mon placard. Je lance la robe en boule sur l'étagère du haut, celle que je n'utilise jamais.

Tiens, c'est quoi, ça ?

Oups.

Une robe mexicaine.

À ma décharge, celle-ci est bleu ciel.

Comme je vous le disais, au moins j'ai de la suite dans les idées. Il y a pire défaut, dans la vie.

Bon. Mais comment je m'habille, moi, ce soir ?

Zuuut.

Si j'avais passé la semaine à Montréal, c'est SÛR que j'aurais acheté un super ensemble en solde.

Mais là, j'ai le choix : mes vieux trucs, ou la robe de mariachi.

Ark. Allons-y pour mes vieilleries.

Skinny jean. Camisole noire serrée. Camisole échancrée par-dessus. Collier de coquillages? Nan. Long collier en argent – que je porte en moyenne 98 % du temps.

Nul!

Tant pis.

19 h 10

Je sonne. Émilie accourt. Elle me fait la bise, s'exclame sur mon bronzage et me met d'autorité un verre dans la main. Je prends une gorgée. Que je recrache aussitôt.

– Émilie!

Elle se précipite déjà vers l'invité suivant, lui mettant la même décoction entre les mains.

– Émilie!

– Quoi?

– C'est quoi, ce truc?

– Un Cosmo!

– Émilie, c'est de l'alcool pur avec une goutte de jus de canneberge.

– Chuut, parle moins fort, les gens vont t'entendre.

Elle m'attire vers la cuisine.

– Je suis allée sur Google, pour trouver des recettes de cocktails. Mais c'était compliqué, surtout pour faire de grosses quantités. Alors j'y suis allée un peu au hasard. C'est assez réussi, non ?

– C'est imbuvable. Et bien trop fort !

– C'est ça, le plan ! Le secret d'un party réussi, c'est de soûler les gens vite.

– À ce rythme-là, on va tous fêter les douze coups de minuit dans les toilettes.

– Tu exagères.

– Je te jure, c'est vraiment imbuvable. Tasse-toi.

Émilie tente de protester, mais je vois le soulagement dans ses yeux.

– Tu es sûre ?

J'ouvre la porte de son frigo.

– Mais, Émilie, tu as des tonnes de bulles ! Même un Moët & Chandon !

– Je sais, c'est ce que tout le monde a apporté.

– Mais pourquoi ne pas simplement en servir, alors ?

– Parce que, dit-elle avec l'air buté d'un enfant de cinq ans, dans une fête chic, il faut servir des cocktails.

– OK, va pour un cocktail. Allez, zou. Occupe-toi de la musique, tiens, dis-je pour lui donner bonne conscience de m'abandonner à la cuisine.

Et pour éviter de l'avoir dans les pattes.

Je sonde le contenu de son placard. Prometteur. Les partys passés ont laissé leur lot de bouteilles d'alcool et de sirops. On devrait pouvoir faire quelque chose avec ça. Quelque chose de simple. Du jus de citron, du jus de canneberge blanc, un peu de sucre de canne... Il manque juste un petit quelque chose, pour donner de l'éclat. Ah, ha!

Là, sur le comptoir, un bouquet avec des fleurs d'hibiscus. Hop! Et le Moët & Chandon pour conclure le tout.

Quelques minutes plus tard, j'entre au salon, munie d'un immense plateau où trônent douze coupes à champagne remplies d'un délicieux cocktail. Les convives s'empressent de déposer leur verre à martini et s'avancent vers moi, l'air fébrile. Je me rends compte, à voir leurs têtes angoissées, et leurs verres encore pleins, que le stratagème d'Émilie lui a complètement explosé à la figure. Loin d'être soûls, ses invités n'ont rien bu, et à voir leur tête, il y en a qui ont le gosier sec depuis un moment.

Ha! Heureusement que je suis là.

Et cette histoire de cocktails m'a permis de faire une entrée remarquée. Pendant quelques instants, je suis la star du salon. Ça rendra mon démarchage facile, ce soir.

Vous voyez, je ne suis pas une célibataire de carrière, loin de là. Je ne suis pas non plus une monogame en série comme Émilie, j'ai plutôt tendance à attendre le bon. Mais pendant que j'attends, je m'amuse. Et la veille du jour de l'An, quand on est célibataire, c'est un terrain propice à l'amusement.

Je regarde (discrètement) autour de moi. Ouh, il y a des beaux mecs.

Le grand brun, là-bas. L'autre, un peu dégarni, mais masculin. Et Charles, bien sûr. Charles... À vous, je peux l'avouer (je ne l'ai jamais dit à Émilie): je trouve qu'il ressemble un peu à Richard Gere, dans *Pretty Woman*. Un peu grisonnant sur les tempes mais... sexy. Distingué. Waouh.

OK, OK, on se calme. Je sais que c'est le chum de mon amie. Mais la loyauté ne rend pas aveugle, à ce que je sache.

Je continue mon tour d'horizon. Ça promet. L'intello aussi, il est mignon, avec ses lunettes.

Mais aucun d'entre eux ne s'avance vers moi pour me parler. Malgré mon entrée remarquée.

Bizarre.

Je fais une femme de moi, et je m'avance vers le grand brun et l'intello qui discutent – pour rebrousser chemin quelques instants plus tard lorsqu'ils me présentent à leurs blondes. (Une cardiologue et une architecte. Complexant.)

OK.

On respire et on recommence.

19 h 22

Drame.

J'ai fait le tour de la pièce.

Que des couples.

Je vais tuer Émilie.

Bon, il y a bien Seb, mais Seb ne compte pas.

Seb est le si-jamais d'Émilie. Et son meilleur ami, après moi. (Du moins, j'espère qu'il est en deuxième position ; elle le connaît depuis plus longtemps que moi, mais il est si peu fiable... Me rappeler de lui poser la question.)

Un si-jamais ? Vous savez... « Si jamais je me ramasse célibataire à quarante ans, je l'épouse. » « Si jamais je ne me fais pas de chum d'ici l'été, je l'invite au mariage de mon patron. » « Si jamais on croise mon ex et sa nouvelle pétasse, je ferai semblant qu'on est en couple, pour ne pas perdre la face. »

Son plan B, quoi.

Quoique depuis qu'elle est avec Charles... le plan B, d'après moi, elle n'en a plus besoin. Même qu'il commence à nuire singulièrement au plan A. Charles déteste Seb, ce qui n'est pas étonnant. C'est un homme perspicace, Charles. Si j'étais Émilie, je me débarrasserais de Seb, *pronto*.

Il a dû sentir que je pensais à lui, car il s'approche. Il est comme les chiens qui sentent toujours qui est la personne qui les déteste le plus, et se collent à elle. Je ne sais vraiment pas ce qu'ils cherchent à prouver (ni Seb ni les chiens).

– Hé, Boisvert! lance-t-il. (Boisvert, c'est moi. Charmant, n'est-ce pas ? La galanterie faite homme.)

– Hé, toi-même. (OK, je ne suis pas mieux.)

– Il y avait un spécial « deux pour un » au salon de bronzage ?

– Et toi, tu t'es fait maquiller blanc comme ça à la morgue ?

Il aperçoit une jolie rousse et il s'éloigne. Pour s'apercevoir quelques minutes plus tard, tout aussi dépité que moi, qu'elle est en couple. (C'est la copine du beau masculin au crâne lisse.)

Pouhaha. Bien fait pour lui.

20 h 43

Ouf!

J'ai eu beau rire d'Émilie, mes cocktails aussi, ils sont forts. C'est à cause du sucre de canne. Ça se déguste comme du bonbon. Alors on ne sent pas l'alcool passer.

J'en ai peut-être bu un peu trop. Mais ça ira. Je tolère bien l'alcool. Bon, ça tourne un peu, mais c'est seulement parce que je suis déshydratée. Ça m'arrive toujours, quand je prends l'avion.

En tout cas, je ne sais pas si c'est le champagne ou mon surplus de vitamine D, mais malgré l'absence de mecs célibataires, je suis de super bonne humeur. Je raconte mon séjour dans le Sud en détail à tout le monde. (Même à Seb. Ha! Il n'y a pas de raisons pour qu'il souffre moins que les autres.)

Je sais qu'il n'y a rien de plus ennuyant au monde que le récit de voyage de quelqu'un d'autre – si ce n'est de regarder les photos de voyage de quelqu'un d'autre – mais je m'en fous. J'ai gagné un séjour tout compris dans le Sud à la radio, la veille de Noël, et je veux que ça se sache. Na!

C'est ce qui m'arrive, quand j'ai pris un coup. Je parle... trop. On dirait qu'il y a soudainement un filtre qui manque, entre ma tête et ma bouche. Tiens, voilà Charles qui s'approche. Qu'il est beau.

– Tu es beau.

Oups!

– Pardon? demande Charles.

– Il fait beau, dis-je en articulant mieux.

Charles me regarde d'un air étonné. Il fait noir dehors, et plutôt froid. Les bourrasques de neige étaient même un peu cinglantes, quand je suis sortie du taxi devant l'appartement d'Émilie. Charles a l'élégance de ne pas relever l'incongruité de mon commentaire, et j'en profite pour lui demander comment vont ses enfants.

Ils ont sept et treize ans. Julien et Florence. Julien est un amour, mais Florence... Une peste, une vraie.

Heureusement, le filtre semble tenir, cette fois-ci, et je m'abstiens de révéler cette opinion au papa épris. Celui-ci déblatère, des étoiles dans les yeux:

– Nous avons fait du ski, si tu voyais Julien, une vraie bombe! Et Florence a commencé la planche à neige. Elle ne se débrouille pas si mal.

Bla bla bla. Le récit des exploits des enfants des autres, je pense que c'est encore pire que le récit des vacances des autres. Du coin de l'œil, j'observe Émilie qui parle à Seb. Celui-ci semble dire quelque chose de vraiment drôle (ou, du moins, qu'Émilie trouve drôle), parce qu'elle rit aux éclats, pliée en deux, la main sur le bras de Seb pour s'empêcher de tomber par terre.

Pendant ce temps, Charles me décrit le dernier collier créé par sa fille (future designer internationale de bijoux). Au bout d'un moment, il remarque bien que je ne l'écoute pas. (C'est l'alcool! Pas de filtre.) Il suit mon regard, et le sien s'assombrit.

Vraiment, ce Charles, il a du mérite. Accepter dans la vie de sa blonde un «meilleur ami» avec qui elle a eu des aventures par le passé, ça prend de la classe. Quel homme.

21 h 35

Ma collègue Sandrine arrive. C'est une fille bien: intelligente, cultivée, compétente... mais un peu froide.

Ça n'empêche pas Seb de se précipiter comme un toutou bien dressé. Je vous jure, c'est à peine s'il ne lui lèche pas les pieds. C'est qu'elle en jette plein la vue, Sandrine.

Imaginez tous les stéréotypes de la pitoune, rassemblez-les sur un corps, et vous avez Sandrine.

Grande. Blonde. Lèvres pulpeuses. Poitrine à faire damner un saint. (Y a-t-il du Botox et du silicone là-dessous ? Peut-être. Je n'ai jamais osé le demander. Mais quoi qu'il en soit, ça ne semble pas déranger les hommes.)

Par contre, elle fait exploser le stéréotype avec un intellect complètement hors norme. Elle va réduire Seb en bouillie, c'est sûr. Ha ! On va bien rigoler.

Tiens.

Elle ne lui a pas servi le coup du regard-assassin-méprisant.

Au contraire, elle joue avec ses cheveux en lui parlant.

Or, le langage corporel ne ment jamais.

Elle flirte !

C'est vrai qu'il est assez beau bonhomme, Seb. Si on aime le genre macho-imbu-de-lui-même.

Il rit en retroussant les lèvres comme un requin de bande dessinée. Elle roucoule comme une tourterelle.

Grand bien leur en fasse.

Je me sers un autre cocktail aux bulles.

21 h 37

Ouh là là.

C'est toute une cachottière, cette Émilie.

Vous ne devinerez jamais qui vient d'arriver.

Nul autre que David Chartier, alias le-plus-beau-gars-du-cégep (du temps où j'allais au cégep, il va sans dire.) Vous savez, quand on dit que les hommes sont comme les bons vins et qu'ils mûrissent avec l'âge? (Jamais aimé le sous-entendu que les femmes, elles, pourrissent.) Eh bien, David Chartier, ç'a toujours été un sacré bon vin. Je n'y ai jamais goûté mais... ce n'est pas l'envie qui manque.

Émilie, elle, un peu. Ils ont eu un léger flirt, je crois même qu'ils se sont embrassés dans le fond d'un bar en se déhanchant au son de *Red Red Wine*. Le lendemain, il l'a à peine saluée en la croisant dans le corridor. Elle en a pleuré dans son édredon fleuri.

En toute honnêteté, nous étions toutes un peu amoureuses de lui.

Et le revoici, presque quinze ans plus tard...

Je l'observe discrètement pendant qu'il enlève son manteau. Ce qu'il est beau. Ça devrait être illégal d'avoir une tête de cheveux comme ça, à son âge. Le Bureau de la concurrence devrait s'en mêler, c'est vraiment un avantage indu. Une fille pourrait en perdre le nord.

Il se retourne vers moi. Gênée, je fais semblant de débarrasser une petite table, afin de justifier ma présence inquisitrice devant l'entrée. Je m'affaire. Je le sens qui s'avance vers moi.

– Isabelle Boisvert ? C'est bien toi ?

Je me redresse, faisant de mon mieux pour avoir l'air à la fois surprise et femme fatale en pleine possession de ses moyens.

Je dois dire qu'avec des verres sales et des serviettes de papier tachées de rouge à lèvres dans les mains, l'effet est un peu raté.

– Oui, c'est moi. Ça va ?

Il se penche pour me faire la bise. Ciel qu'il sent bon.

Je me sauve vers la cuisine, laissant tomber les verres et les serviettes en vrac dans le lavabo. L'heure est grave !

J'attrape mon sac à main et je cours à la salle de bains, pestant quand je constate que la porte est fermée. Je sautille, impatiente, priant pour que la place se libère.

J'entends quelqu'un qui approche. Je me retourne : c'est Émilie, qui fait le tour du propriétaire avec David. Je leur adresse un sourire figé, plantée là dans le corridor avec mon sac à main.

Ce mec va croire que je suis complètement cinglée.

22 h 54

David est absolument merveilleux.

Après le double fiasco verres sales et toilettes, je croyais sincèrement que mon chien était mort. Que nenni! David est venu me trouver, cachée dans la cuisine, et ne m'a pas quittée depuis.

Il est drôle.

Il est gentil.

Il est beau.

Il est drôle.

(Oui, je tourne en rond, mais que voulez-vous, c'est comme ça, l'amoûûûûûr.)

La seule chose qui m'embête, c'est qu'Émilie me jette parfois de drôles de regards. Elle ne peut quand même pas s'offusquer du fait que je parle à David?

Elle est chatouilleuse, comme ça, Émilie. Elle considère que lorsqu'une fille a une histoire avec un gars, il devient hors d'atteinte pour toutes les amies de la fille. *Ad vitam æternam.*

Mais, vraiment. David Chartier, ça ne compte pas.

Je ne suis même pas sûre qu'ils aient échangé de la salive.

23 h 48

Je me glisse à la salle de bains. Minuit approche, et on sait tous ce que ça veut dire. Je tiens à avoir une haleine fraîche.

J'ouvre le placard. Zut. La bouteille de rince-bouche d'Émilie est vide.

Que faire ?

Je regarde sa brosse à dents du coin de l'œil. C'est un peu dégueu, mais... il faut ce qu'il faut. C'est ma meilleure amie, après tout. Et elle ne le saura jamais.

Le champagne qui flotte allègrement dans mes veines achève de me convaincre et je me brosse les dents avec vigueur. Je me recoiffe, j'applique du brillant à lèvres, j'ajuste ma camisole et remonte mes seins dans mon soutien-gorge.

Je suis prête !

En retournant vers le salon, je me fais la réflexion que c'est le plus beau jour de l'An de toute ma vie. Oui, il y a du champagne là-dessous, mais ça ne m'empêche pas d'être sincère. Je suis chez ma meilleure amie, entourée de gens sympathiques et intéressants, et je m'apprête à embrasser...

Tiens!

Mais où est-il?

Je l'ai laissé il y a quelques minutes, devant la plante verte. Je regarde partout dans le salon: pas de David.

Dans la cuisine: pas de David.

Bizarre.

Quelqu'un m'attrape le bras avec force.

– Ouch! Attention, Seb!

– As-tu vu Sandrine?

– Sandrine? Non, pas depuis un moment. Tu as perdu ton joujou?

– Très drôle. Et toi, ton Adonis est revenu à la raison?

– Ça veut dire quoi, ça?

– Simplement que...

Sans écouter l'insulte qu'il me débite, je lui agrippe le bras. Devant son air de surprise, je lui fais un signe des yeux, lui indiquant de regarder à gauche, derrière le placard de bois.

La ?%$%&? de Sandrine et le ?%$#&$ de David Chartier, enlacés.

Seb se tourne vers moi, les yeux écarquillés.

À ce moment, nous entendons la voix enjouée d'Émilie.

– Tout le monde au salon! C'est dans une minute.

Nous suivons comme de bons moutons, hébétés tous les deux. Après quelques instants, même Sandrine et David se joignent au groupe. C'est qu'Émilie peut être convaincante.

Une coupe de champagne et un sac de confettis à la main, elle se place au milieu de la pièce, encourageant tout le monde à scander 10... 9... 8... 7... 6... 5... 4... 3... 2... 1... Bonne année!!!

Les confettis pleuvent.

Émilie embrasse Charles.

Le beau brun embrasse sa cardiologue.

L'intello embrasse son architecte.

Le monsieur muscle au crâne lisse embrasse sa jolie rousse.

David Chartier embrasse Sandrine.

Seb et moi nous regardons, les bras ballants.

Pendant un moment, nos regards semblent demander si...

Puis nous nous détournons tous les deux dans un geste de dégoût.

Je me précipite à la cuisine et je noie ma peine dans le *prosecco*.

Mais qu'est-ce qui lui a pris, aussi, à Émilie, de n'inviter que des couples, et quatre célibataires? On n'est pas dans *Le héros de Rosalie*, ici. Pas obligé d'avoir un nombre égal de gars et de filles à matcher.

Elle m'enrage!

Tout ça, c'est sa faute.

Charles entre dans la cuisine.

– Tu es là, Isa! Bonne année!

Il s'avance pour m'embrasser.

Je sais très bien qu'il penche le visage vers ma joue, voulant me faire la bise. Mais, par dépit, je l'embrasse droit sur les lèvres. Il se recule, un peu surpris. Derrière lui, je vois Émilie qui me regarde d'un air hostile.

Vraiment! Je sais ce que vous pensez, mais c'était un bec sec, les lèvres fermées. J'en donnerais un à ma mère! (Bon, peut-être pas. Mais presque.)

Vous savez quoi? Je m'en fous. Je me fous de sa colère, je me fous de ce stupide jour de l'An qui n'est après tout qu'une journée comme une autre. Si ce n'était de ces maudits Romains, on ne fêterait rien du tout, aujourd'hui.

Y en a marre, des fêtes à la con.

0 h 13

Envie de m'en aller. Mais où ?

J'aperçois du coin de l'œil Seb qui s'apprête à partir en catimini, le manteau enroulé sous le bras.

– Tu vas où, toi ?

– Chut ! Émilie va t'entendre.

– OK. Tu vas où ? répété-je en chuchotant.

– Dans un party qu'un ami organise. Il est censé y avoir plein de filles.

Plein de filles, plein de filles. Ça ne me donne rien, à moi.

Une ampoule s'allume dans ma tête.

Là où il y a plein de filles, il y a obligatoirement plein de gars.

C'est une loi de la nature. C'est le phénomène qui a donné naissance à toute l'industrie des *Ladies' Night*.

– Attends-moi, dis-je, toujours en chuchotant.

J'attrape mon manteau, je prends mes bottes dans mes mains, et je suis Seb sur le palier à pas de loup.

Une fois dans l'escalier, nous nous habillons en ricanant. Nous sortons et hélons rapidement un taxi, énervés comme des gamins en cavale.

J'adore de nouveau le jour de l'An. Ce sont ces soirées de couple que je déteste. Le 31 décembre, c'est fait pour s'amuser!

Et je dois dire que le bar où Seb m'emmène promet. Chic, mais assez sombre pour qu'on devine qu'il s'y passe pas mal de choses. Une atmosphère mystérieuse, un peu new-yorkaise. Je suis tout de suite séduite par le mobilier des années soixante et je commande un *Old Fashioned*, comme Don Draper.

Le goût de l'alcool fort me fait sursauter. Mais un *Old Fashioned*, on ne le commande pas pour le boire. On le commande pour l'effet qu'il donne.

Je regarde autour de moi. Tel que promis, beaucoup, beaucoup de filles. Qui sont toutes splendides. Et grandes. C'en est même louche.

— C'est qui, ton ami, Seb?

— C'est Luigi, le brun, là-bas, avec les deux blondes.

— Et il fait quoi, dans la vie, ton Luigi?

— Il est photographe de mode.

Non! Ce foutu Seb m'a emmenée dans un party de mannequins! Je vais le tuer. Il est pire qu'Émilie, avec ses partys de couple.

Argh! Ça devrait vraiment être illégal d'inviter à la même fête des filles mignonnes, mais normales (lire: moi), et des girafes de six pieds aux corps de Barbie. Une autre infraction à souligner au Bureau de la concurrence.

Seb m'abandonne rapidement et il part à la chasse. Je me promène dans le bar, dépitée. Même les hommes sont tous beaux. Ils sont peut-être mannequins aussi. Ce qui ne m'aide en rien. Pourquoi les gars normaux peuvent-ils sortir avec une fille mannequin, mais les filles normales ne peuvent sortir avec des gars mannequins? C'est injuste. C'est plus simple chez les animaux. Si j'étais une cane, tiens, ce serait super. Elles sont moches et brunes, ne s'arrangent pas du tout, et ce sont leurs mecs qui doivent se parer de belles couleurs pour les séduire. Ou une femelle paon. Là, on parle.

Tiens. J'ai enfin trouvé un laid. Petit et chauve. Comment est-ce possible?

Il doit être riche. Ou célèbre. Quoi qu'il en soit, même lui ne me regarde pas. Une grande perche de six pieds roucoule en se penchant vers lui.

Y en a marre. Y en a vraiment marre.

Je m'installe au bar, et j'entreprends de réellement boire mon *Old Fashioned* (plutôt que de simplement m'en servir pour frimer).

C'est drôlement bon, quand on s'y met. J'en commande rapidement un deuxième.

J'en ai bu la moitié, quand Seb prend place sur le tabouret à côté du mien en poussant un gros soupir.

– Que t'arrive-t-il?

– Rien...

Il a vraiment l'air malheureux.

– T'es pas de niveau, avec les mannequins?

– Ce n'est pas ça, se défend-il. C'est juste qu'on est arrivés trop tard. Elles se sont toutes trouvé quelqu'un pour les douze coups de minuit.

– Hé, pas besoin de te justifier avec moi, tu sais.

– Je sais...

Son regard change, tout à coup. Pourquoi me regarde-t-il comme ça?

– Pourquoi me regardes-tu comme ça?

– T'es pas si mal, après tout, Boisvert...

– Pas si mal?

– Quand t'arrêtes deux minutes de m'envoyer promener, tu es presque mignonne. Dans ton genre.

Il me drague, ou quoi?

– Tu me dragues, ou quoi?

– Ha! Dans tes rêves.

Je ne sais pas ce qui m'empêche de lui jeter mon *Old Fashioned* au visage.

Probablement le fait qu'il nous commande une autre tournée.

Maintenant qu'il a abandonné tout espoir de *scorer*, Seb devient un peu moins imbuvable. Toujours aussi taquin, mais... moins idiot. Nous parlons de sujets neutres, comme les voyages. Il aimerait visiter la Thaïlande. Moi, je lui confie mes rêves d'Argentine. Il ne rit même pas quand je m'imagine à cheval dans les pampas (bon, je ne lui décris pas la robe blanche à volants et le chapeau de cow-boy que je porte, dans mon imagination, mais quand même).

Je me sens étrangement plus sobre qu'avant, malgré le fait que Seb commande des *Old Fashioned* chaque fois que nos verres se vident. Finalement, l'alcool fort, ça fait moins tourner la tête que les bulles. J'en prends bonne note.

Quand enfin le bar ferme, nous sortons affronter en camarades le froid et la nuit noire, bras dessus, bras dessous.

Seb hèle un taxi, et nous montons tous les deux, donnant d'abord mon adresse au chauffeur.

Seb

1er janvier, 8 h 43

J'ai vraiment trop bu, hier. Je pense que je suis encore soûl.

J'étire une jambe, puis l'autre.

J'ouvre un œil.

Tiens ! Je suis dans ma chambre. Excellente nouvelle.

J'allonge les bras au-dessus de ma tête et m'apprête à me rendormir quand un malaise m'envahit.

Hier soir… Ai-je rêvé, ou…

Non. C'est impossible.

Impossible.

Moi et Isabelle-Boisvert-la-supérieure-qui-me-regarde-toujours-du-haut-de-son-petit-nez-retroussé ?

Impossible.

Et pourtant…

Merde.

Quel crétin.

Je mets mon oreiller sur mon visage, voulant étouffer les souvenirs de la veille.

Pas que ce soient de mauvais souvenirs, mais...

Émilie n'aimera pas ça. Elle n'aimera pas ça du tout.

Elle a cette espèce de règle débile, selon laquelle deux amies ne peuvent jamais sortir avec le même gars.

Elle sera fâchée contre Isabelle.

Et elle ne me touchera plus jamais.

Ça, c'est une méchante gaffe.

Espèce de gros cave.

Dire que l'an dernier, à pareille date, je m'étais réveillé avec Émilie dans mes bras...

Bon, j'avais bien essayé avec une autre fille avant, une grande rousse dont le nom m'échappe. Mais au matin, j'avais été bien content de voir Émilie.

C'est ça, la différence. Émilie, c'est la seule à qui j'ai envie de parler, le lendemain matin.

C'est ma meilleure amie depuis quinze ans.

Ça doit vouloir dire quelque chose, non ?

Le problème, c'est que ça semble devenir sérieux avec son toutou.

D'habitude, je la laisse se faire des chums. Elle me revient toujours.

Celui-ci, plate, sérieux, deux enfants : je ne leur donnais pas trois mois.

Et voici que ça commence à faire... quelque temps.

Faut que je fasse quelque chose.

D'abord, passons aux choses urgentes. Je prends mon BlackBerry et j'écris à Isa.

« On dit rien à Émilie, OK ? »

Peut-être aurais-je dû ajouter un mot gentil ? Les filles sont sensibles, comme ça.

Je me creuse les méninges pour trouver quelque chose de gentil, mais qui ne m'engage à rien. Avant que je trouve, sa réponse me parvient.

« OK. »

Bon ! Une bonne chose de réglée.

Ça ne m'étonne pas de la part d'Isa. C'est un vrai mec, cette fille.

Émilie, maintenant.

Soyons logique : ça finira bien un jour, avec Charles. Il est trop vieux, trop monsieur. Et il ne voudra sûrement pas d'autres enfants. Ils n'habitent même pas ensemble ! (À cause de la fille de Charles, une ado hystérique.)

De toute évidence, ce n'est pas sérieux, entre eux.

Alors, je reste à l'affût; et au premier signe de chicane, hop! Je fonce.

Parfait.

Et cette fois-ci, je ne la laisserai plus s'envoler.

– Mardi 10 février –

ils en sont tous amoureux,
même moi,
j'suis con pour deux

Charles

10 février, 6 h 55

Je suis dans le pétrin. Un sacré gros pétrin.

Dans quatre jours (quatre!), c'est:

1. La Saint-Valentin

2. L'anniversaire de ma blonde

3. L'anniversaire de notre première rencontre

Ç'a peut-être l'air compliqué, dit comme ça. Je vous explique. Ma blonde (Émilie, superbe, amoureuse, câline, bref, la femme de ma vie) est née le 14 février. Jusque-là, ça va. Mais en plus, nous nous sommes rencontrés le 14 février l'an dernier, alors qu'elle fêtait son anniversaire en compagnie d'une bande d'amis dans le même centre de ski que celui où j'avais emmené mes enfants en week-end.

Un an plus tard, je me trouve donc confronté à un triplé d'envergure.

J'aurais pu y penser plus tôt, vous dites?

Ne vous inquiétez pas, j'y ai pensé. J'ai acheté à Émilie un cadeau tout à fait respectable (un chandail de chez Banana Republic, auquel je joindrai une douzaine de roses rouges).

Cadeau respectable, jusqu'à ce que je commette une bévue peut-être impardonnable, mais qui dans ce cas-ci m'a sauvé la vie.

Hier soir. J'étais chez Émilie. Elle prenait sa douche. La pile de mon BlackBerry était à plat. J'ai voulu consulter mes courriels avant le retour au travail, ce matin. J'ai ouvert son MacBook, j'ai souri en voyant la photo sur son fond d'écran (elle et moi avec mes enfants, Florence et Julien, à Noël) et j'ai cliqué sur l'icône de Safari.

Une page s'est ouverte.

Confirmant l'achat de deux billets dans la troisième rangée pour le concert de U2 au printemps! Deux billets! Dans la troisième rangée! Qu'Émilie a achetés au prix fort auprès d'un revendeur escroc sur Internet. Je revois encore son courriel, si enthousiaste:

«Merci, monsieur! Mon chum va adorer. Vous savez, U2, c'est son groupe préféré depuis toujours! Et vous serez heureux de savoir que vous avez contribué au plus beau cadeau de premier anniversaire de couple au monde!»

Je me doute bien que l'escroc n'en avait rien à cirer, de notre premier anniversaire de couple. C'est bien Émilie, ça, voir des bonnes intentions partout.

N'empêche. Elle a beau être la personne la plus indulgente du monde, je suis cuit.

Analysons la situation.

Je lui dois un cadeau car: c'est la Saint-Valentin + c'est notre premier anniversaire + c'est sa fête.

Elle me doit un cadeau car: c'est la Saint-Valentin + c'est notre premier anniversaire.

J'ai trois raisons, elle en a deux.

Mon cadeau doit donc statistiquement être 50 % plus hot que le sien.

Mais comment être 50 % plus hot que des billets pour aller voir U2, *dans la troisième rangée* ???

C'est mathématiquement impossible.

Fuck.

Émilie

10 février, 7 h 05

J'ai revendu les billets de U2.

C'était un cadeau un peu trop intense.

C'est la Saint-Valentin et notre anniversaire de couple, oui. Mais c'est aussi ma fête.

La logique dicte donc qu'il me donne un plus gros cadeau que ce que moi, je lui donnerai.

Avec les billets de U2, je craignais de lui faire peur.

Faut que je la joue relax. C'est essentiel. Parce que si j'arrête d'être relax...

Je-veux-emménager-avec-Charles-bon!

C'est ça qui arrive.

Je SAIS qu'il prend son temps à cause de ses enfants. De sa fille, surtout. Florence a treize ans, presque quatorze. C'est un âge délicat. Le divorce est encore récent. Je SAIS tout ça.

C'est quand même dur à avaler, parfois.

Mais bon. Je suis sûre que le jour viendra. Peut-être quand Florence aura dix-neuf ans et qu'elle partira à l'université. (Quoiqu'il y a une université à trois coins de rue de chez son père. Avec ma chance, c'est là qu'elle choisira d'étudier.)

OK. Changeons de sujet. Ça ne sert à rien de s'énerver. J'ai choisi un homme qui a deux enfants, et je dois respecter son bagage familial.

Alors. Le fameux cadeau.

U2, ça faisait un peu trop.

Et puis le petit frère de ma collègue Macha a été vraiment content de me les racheter. (Pour un peu moins que ce que j'avais dépensé, mais il est aux études.)

Je vais plutôt y aller pour un cadeau classique. Durable, de qualité. Qui lui fera penser à moi chaque fois qu'il le verra.

Je surfe quelques minutes sur Internet, et bingo! J'ai trouvé.

Un beau chandail de cachemire de chez Banana Republic.

Impeccable.

Charles

10 février, 8 h 35

J'ai fait la seule chose à faire. Je suis allé au gym.

Je ne sais pas s'il y a des endroits où l'on réfléchit mieux que dans un sauna, après une séance de musculation intensive, mais moi, je n'en connais pas.

Donc.

Il faut que je trouve un cadeau inoubliable. C'est aussi simple que ça.

Procédons par élimination.

Chandail de chez Banana Republic : *out!*

Billets pour le concert de U2 : *out!*

...

Ça laisse quand même plusieurs possibilités.

Une montre ? Elle en a une.

Un portefeuille ? Elle en a un.

Rendons-nous à l'évidence : elle a tout.

Un cadeau, un cadeau...

Je n'y arrive pas. Je ne pense à rien. Strictement rien.

J'ai besoin d'une bonne douche froide.

Je prends ma serviette et je me dirige vers les douches quand j'entends une voix qui me fait sursauter.

« Ouais, mon gars, t'aurais dû voir ça! »

Misère. C'est ce colon de Seb. L'ami d'enfance d'Émilie. Un métrosexuel fini, qui joue le rôle de l'ami des filles, et qui en profite pour les séduire par en dessous.

Quand j'ai réalisé qu'il était membre du gym pour lequel je venais de débourser une fortune en abonnement annuel, j'ai sérieusement songé à me faire harakiri. Depuis, je passe mon temps à le fuir. À mon plus grand malheur, nous semblons avoir exactement le même horaire.

Je me glisse dans une douche et tire vite le rideau afin qu'il ne me voie pas. Je m'apprête à ouvrir le jet, quand j'entends : « C'est la fête d'Émilie ce week-end. Je lui prépare quelque chose de spectaculaire. »

Mon cœur arrête officiellement de battre.

Ne manquait plus que ça!

Non seulement mon cadeau doit être 50 % mieux que celui qu'Émilie m'offrira, mais il doit surtout être dans une tout autre stratosphère que celui que cet imbécile lui donnera.

La main figée sur le pommeau de douche, j'écoute comme si mon sort en dépendait (et, malheureusement, il en dépend).

– Émilie? Ton amie d'enfance? demande l'interlocuteur de Seb.

– C'est plus qu'une amie. C'est la femme de ma vie.

Mon poing est à veille d'exploser, tellement je le serre fort.

– La femme de ta vie? Voyons, ça fait des années que vous vous fréquentez de temps en temps. Qu'est-ce qui a changé?

– J'ai fait une méchante grosse gaffe.

Ah? Là, ça devient intéressant.

– J'ai couché avec sa meilleure amie.

Isa? Impossible. Elle l'exècre. Plus que moi, c'est tout dire.

– Et alors?

– Tu ne connais pas Émilie, ça paraît! Je sais que ça ne durera pas longtemps avec son chum actuel. Il est vieux, il a deux enfants, tu vois le genre.

Le genre? Le genre à te foutre mon poing sur la gueule, oui.

– Je prenais donc mon mal en patience, me disant qu'elle serait à nouveau célibataire sous peu. Mais la veille du jour de l'An, j'étais soûl, et j'ai couché avec sa meilleure amie.

– Je ne comprends toujours pas où est le problème.

– Elle est drôle comme ça, Émilie. Très à cheval sur la loyauté. Elle m'a déjà dit plusieurs fois qu'elle ne toucherait pas à un gars qui a été avec une de ses amies.

– L'amie n'a de toute évidence pas les mêmes scrupules.

– Elle était complètement soûle. Moi aussi, d'ailleurs. Le lendemain matin, on s'est juré tous les deux qu'Émilie ne l'apprendrait jamais.

– Pourquoi t'inquiètes-tu, alors?

– C'est compliqué. Son amie Isa me déteste.

– Attends, je ne comprends plus rien. Celle qui a couché avec toi te déteste?

– Oui.

– Ça devait être torride.

– Là n'est pas la question! s'impatiente Seb. L'important, c'est que je frappe un grand coup, et que l'affaire soit réglée avant qu'Émilie ne soit au courant.

– Et ça se passe ce week-end?

– Ça se passe ce week-end.

– Comment vas-tu faire?

À ce moment, Seb et son interlocuteur mystérieux s'éloignent, se dirigeant de toute évidence
vers la salle de musculation. J'entends encore
quelques bribes de conversation.

– Ça va être malade, mon gars. Je vais l'appeler
le matin, et...

Ils sont partis.

Je suis planté là, nu et transi, comme un con.

Un énorme con.

Isa

10 février, 9 h 30

Ark.

Le bureau d'accueil du cabinet de psychologues où je pratique est complètement couvert de cœurs rouges un peu croches, qui semblent avoir été découpés à la main par notre nouvelle réceptionniste, Vanessa. Une fille pleine de bonne volonté, mais malheureusement pas pleine de bon jugement.

Nous ne soulignons jamais les fêtes, au bureau. Pas de guirlandes de Noël, pas de citrouilles d'Halloween, et certainement pas de cœurs de la Saint-Valentin. Rien pour rappeler à nos patients esseulés à quel point ils sont seuls.

Je dis bonjour à Vanessa, qui semble bien fière de son coup/méga faux pas. Ha! Je la laisse à ses illusions quelques instants encore. Quand notre patron, le terrifiant Christophe, arrivera au bureau, elle se fera ramasser, la pauvre.

Je sors des toilettes quand je croise Vanessa qui s'y rend en sanglotant. Elle qui est toujours si souriante. La voilà avec du mascara qui lui coule sur les joues.

Petite pointe de culpabilité. Peut-être aurais-je dû la prévenir. Elle est nouvelle, après tout.

Oui, Isa, un peu de charité chrétienne. C'est décidé. Dès demain, j'aide Vanessa à mieux s'intégrer. Et je ferai de même avec les autres nouveaux arrivés aussi. (Nous avons un sacré roulement, tempérament de Christophe oblige.)

Je m'imagine déjà, les yeux mouillés de fierté, quand une jeune psychologue que j'aurai prise sous mon aile gagnera un grand prix, et remerciera son mentor, Isabelle Boisvert, sous les applaudissements de la foule...

Un instant. Est-ce que je ne préférerais pas le gagner moi-même, ce prix ? C'est bien beau, le mentorat, mais ça ne bat pas la réussite, non ?

Dieu que c'est compliqué.

Je feuillette lentement le rapport placé sur mon bureau.

Je regarde ma montre.

Ce n'est pas possible ! Il ne peut pas être juste 9 h 38 ?

Le temps ralentit, ou quoi ?

Beurk.

OK, je l'avoue, j'ai un peu le blues. Le blues du mois de février. Le mois le plus sombre, le plus froid, le plus glauque de l'année. J'ai dû être échangée à la naissance, moi. Mes vrais parents doivent se prélasser sous un cocotier pendant que je gèle ici. (La preuve : je n'attrape jamais de coup de soleil. Jamais. Bon, sauf la fois où Émilie m'avait entraînée à cette ridicule épluchette de blé d'Inde, près de sa maison de campagne, et que nous avions passé QUATRE heures au gros soleil à éplucher des stupides épis de maïs, attendant un cycliste aux mollets légendaires qu'Émilie espérait croiser et qui ne s'est jamais présenté, mais ça ne compte pas. Je prenais des antibiotiques, ç'a dû rendre ma peau plus sensible au soleil. Émilie était morte de rire en me regardant peler. Aucune considération pour le fait que je m'étais mise dans cet état pour elle. Aucune.)

Toujours est-il que je n'ai PAS le blues de la célibataire à la Saint-Valentin, quoi qu'en dise Émilie, qui en fait une véritable obsession, de cette putain de fête. Chaque année, c'est la même chose. Qu'elle soit en couple ou pas, elle obsède grave. Cette année, c'est pire que pire. Elle a rencontré son mec le 14 février l'an dernier, et elle fait tout un plat de leur célébration. Elle a déjà réservé et annulé dans une quinzaine de restaurants. Elle a acheté six cadeaux. Dont deux qu'elle n'a même pas réussi à retourner au magasin. Elle m'appelle dix fois par jour pour en parler. Bref, elle est zouin-zouin.

En plus, c'est son anniversaire, et elle n'aime pas vieillir. Pas comme moi. Ha! (OK, c'est facile à dire. J'ai six mois de moins qu'elle et j'aurai encore trente ans jusqu'à l'été.)

Tiens, un courriel.

Peut-être quelque chose d'amusant?

Nan. C'est Christophe qui convoque une réunion d'équipe à onze heures.

Bâillement.

Je me remets à mon rapport.

Ouais! Mon téléphone sonne.

– Isabelle Boisvert, dis-je en répondant.

– Isaaa!!

Y a qu'Émilie pour hurler comme ça. De l'enthousiasme en barre, cette fille.

Je l'adore.

– Salut, Émilie, ça va?

– Super bien. En déjeunant ce matin, j'ai établi un plan d'action à tout casser.

– Un plan d'action ?

– Pour l'opération Faire-oublier-David-Chartier-à-Isa-qui-vaut-mille-fois-mieux-que-lui.

– Voyons, Émilie ! J'ai oublié David Chartier depuis belle lurette !

Oups. J'ai dit son nom à voix haute. J'espère que Sandrine ne m'a pas entendue. La honte.

– Tu ne m'auras pas, Isabelle Boisvert. Depuis le jour de l'An, tu n'es plus la même. Tu ne dragues plus, tu sors moins... Je connais ça, moi, les cœurs brisés.

– Je n'ai pas le cœur brisé !

C'est peine perdue, Émilie ne m'écoute absolument pas.

– Je t'ai organisé un rendez-vous jeudi soir avec un collègue de Charles. Il s'appelle Armand Saint-Cyr et Charles dit qu'il est super.

– Armand ? Il a l'âge d'or ou quoi ?

– Mais non ! Il a quarante ans. Il est ingénieur.

OK. C'est prometteur. Charles est ingénieur et c'est tout un homme.

– Selon Charles, il est très sérieux.

– Sérieux-plate ou sérieux-prêt-à-se-marier ?

– Sérieux-prêt-à-se-marier.

– Et quel genre de...

– Il cherche une fille intelligente, allumée, engagée.

– Et est-ce qu'il a déjà...

– Jamais marié, pas d'enfants, dernière relation à long terme a duré six ans, et ils se sont quittés parce qu'elle est partie travailler en Chine et il ne voulait pas la suivre.

Vous voyez? Émilie sait d'avance quelles questions je vais poser.

(Ce n'est pas la première fois que nous avons cette conversation.)

– Il va m'appeler?

– Non, tu le rejoins directement au restaurant de l'hôtel Saint-Paul, jeudi soir à 20 h.

– Comment vais-je le reconnaître?

– Je lui ai dit que tu porterais une robe rouge.

– Ma robe rouge? Émilie, je l'ai achetée pour un mariage, pas pour un souper du jeudi soir!

– C'est ta plus belle robe! Tu vas le jeter à terre!

– T'es complètement folle.

– J'ai complètement raison.

– Je vais y penser.

– La robe, ou le rendez-vous?

– Les deux.

– Crois-moi, Isa, la seule façon d'oublier un homme, c'est d'en rencontrer un autre.

C'est pas bête, ça.

Émilie se trompe complètement de cible, bien sûr. Je n'en ai rien à cirer, de David Chartier. (OK. Quand Sandrine est revenue des vacances de Noël éclatante et épanouie, et a raconté à tout le bureau son idylle amoureuse, ça m'a fait un petit, tout petit pincement, mais sans plus. Vraiment.)

Et elle se trompe encore plus quand elle s'imagine que j'ai le cœur brisé. Mon cœur n'a pas été brisé, ni par David Chartier ni par un autre. Il est en un morceau et pleinement fonctionnel.

Est-ce vrai que j'ai changé, depuis le jour de l'An? Ce n'est pas possible. Émilie doit s'être fait des idées. Sa vie manque de drame, alors elle en invente dans celle des autres.

Oui, voilà. C'est Émilie qui s'invente des histoires.

11 h 02
Réunion d'équipe.
Christophe a l'air tendu.

Ce qui ne veut pas dire grand-chose. Il a toujours l'air tendu.

Il nous dévisage de son regard d'aigle. Je ressens la même nervosité que lorsque je croisais une voiture de police, ado. Une vague impression d'avoir quelque chose à me reprocher, sans savoir exactement ce que c'est.

– Vous savez tous que depuis deux ans Sandrine représente avec brio notre cabinet, dit Christophe.

Yark. C'est reparti.

Sandrine, alias la frencheuse de David Chartier, alias la bombe, est chroniqueuse à la télévision, pour l'émission de variétés du midi animée par Jennifer Langlois et Tristan McNally. Chaque jour, ils reçoivent des invités en studio, ainsi qu'une rotation de chroniqueurs : sommelier, jardinier, chef, médecin, critique cinéma, critique littéraire, et notre Sandrine, la psychologue de service et spécialiste des relations de couple.

Je ne mentirai pas : Sandrine crève l'écran. Même la superbe Jennifer Langlois semble pâlotte, à côté d'elle. Et ses propos sont aussi percutants que son sourire est éclatant. Une vraie star. Sa renommée grandissante rejaillit sur le cabinet et elle est de ce fait la chouchou attitrée de Christophe.

– Et aujourd'hui, dit-il, Sandrine a une grande nouvelle à vous annoncer.

Elle a été recrutée par Oprah ? On lui accorde un prix Nobel ? Venant de Sandrine, rien ne m'étonnerait.

– Je suis enceinte.

Sauf ça.

Enceinte ? ? ? Mais elle est avec David Chartier depuis deux mois à peine.

Je ne suis de toute évidence pas la seule qui lève les sourcils, car Sandrine se sent obligée d'expliquer qu'à notre âge, quand on sait, on sait. Les choses déboulent vite.

Pfft ! J'aimerais bien, moi aussi, que les choses déboulent. Et savoir que je sais. Ça arrive toujours aux autres.

– Mon médecin me place en retrait préventif, continue Sandrine, à cause des risques si un patient devenait violent.

Violent ? Nos patients sont plus dépressifs que violents.

– Je vais me retirer à la campagne, dans la maison de David, pour y vivre ma grossesse et mon congé de maternité dans le calme et la sérénité.

Double yark. C'est fou comme elle se croit.

– Sandrine va nous pondre un best-seller, pendant sa retraite, ajoute Christophe, fier comme un taureau. Elle se métamorphosera en spécialiste de la grossesse et des nouveau-nés. C'est un domaine en pleine croissance et l'avenir de notre profession.

Typique. Elle ne se contentera pas de prendre quarante livres comme tout le monde. Non, Madame transformera sa maternité en expérience pertinente pour son CV. Faut le faire, quand même.

Un instant.

Si je comprends bien, Sandrine prend la poudre d'escampette et s'enterre à la campagne pendant un an, minimum.

Ce qui veut dire que sa chronique télé...

Christophe semble s'apprêter à annoncer encore quelque chose.

Je parie que je sais ce que c'est.

La chronique télé est à moi, lalalèreu!

C'est obligé: je regarde autour de la table, et sans vouloir être méchante, personne d'autre n'a le profil télévisuel.

Quant à moi... OK, je l'avoue, je pourrais faire un effort. Mes cheveux n'ont pas vu les ciseaux d'un coiffeur depuis au moins six mois. Je porte un vieux jean et un chemisier apparu je ne sais comment dans le fond de ma garde-robe. Je soupçonne même qu'il a déjà appartenu à ma mère.

C'est que, jusqu'à aujourd'hui, je n'ai jamais eu besoin d'avoir un look d'enfer au travail. Au contraire. Une fois, je suis venue en robe cache-cœur, et je l'ai vraiment regretté. Monsieur Simard ne me parlait pas dans les yeux, ça c'est sûr.

Mais à partir de demain, ça va changer! Il faut que je commence à bâtir ma personnalité publique. Qui sait, cette chronique donnera peut-être lieu à d'autres possibilités.

Waouh.

Quel(s) revirement(s) spectaculaire(s).

Émilie ne va pas le croire.

Émilie!

Elle me sera d'une aide inestimable, avec son expérience à la télévision. (Elle est recherchiste pour l'émission du matin et une vraie passionnée du petit écran.)

Il faut que je l'appelle.

Et que j'aille magasiner.

Et que je prenne rendez-vous chez le coiffeur.

Peut-être devrais-je me faire tracer la ligne du sourcil, aussi. Émilie jure que ça redessine complètement le visage.

Oui, mon visage redessiné et moi allons faire tout un tabac!

Je souris béatement à la ronde, captant tout à coup la voix de Christophe qui parle encore de Sandrine.

Encore elle? Ne sait-il pas qu'on est déjà passés à un autre appel?

Tiens.

C'est vrai que c'est louche, ça.

Si je devais remplacer Sandrine, pourquoi ne m'a-t-il pas prévenue en privé, avant de l'annoncer devant tout le monde?

Hum...

Je ferais mieux d'écouter.

– Bien que Sandrine soit irremplaçable, dit Christophe (d'un ton sirupeux qui me donne envie de vomir), notre charge de travail ici au cabinet ne nous permet pas de nous passer d'elle entièrement.

Je lève la main.

– Je prendrai avec plaisir les clients de Sandrine.

Ben, tiens! Elle a toujours les clients les plus intéressants, question de lui donner du matériel pour sa chronique à la télé. À moi les clients, à moi la chronique. Qu'elle se les garde, son David Chartier et son *glow* de femme enceinte. Ha !

– Un instant, Isabelle. Ce n'est pas si simple. Il y a tes clients à toi à prendre en considération, à qui tu dois fidélité, n'est-ce pas ?

Gna gna gna.

– C'est pourquoi je vous annonce l'embauche immédiate de Zoé Delva. Zoé a grandi à Montréal, mais elle travaille depuis quelques années auprès de l'ONU à New York, après avoir obtenu un doctorat à Harvard.

Je suis soufflée.

C'est sympa, l'UQÀM, mais ce n'est pas Harvard.

On parle des ligues majeures, ici.

Et l'Organisation des Nations Unies...

Je n'ai pas d'expérience internationale, moi.

Écouter les confidences des autres vacanciers dans un tout-inclus au Mexique une fois par an, je ne suis pas sûre que ça compte. (Même si on en entend des belles.)

Mais c'est qui, cette Zoé ?

On ne l'a pas sonnée.

La réunion se termine. Tout le monde fait la file pour embrasser et féliciter Sandrine. Moi, je réfléchis.

Puis je prends mon courage à deux mains et je m'avance vers Christophe.

– Christophe, qui reprendra la chronique de Sandrine? J'aimerais poser ma candidature.

Il me fait l'honneur de ne pas paraître trop surpris.

– Tu sais, c'est au réalisateur de l'émission de décider. Nous présenterons des candidates, mais d'autres cabinets le feront sûrement aussi. Et ultimement, c'est Jennifer Langlois et Tristan McNally qui trancheront. La chimie doit opérer, en ondes.

– Tu dis que nous présenterons des candidates. En ferai-je partie?

– Eh bien, il y a Zoé. Elle a fait plusieurs apparitions télévisées aux États-Unis.

Argh. Mon chien est mort.

ONU + Harvard + expérience télé = victoire assurée.

À moins que cette Zoé ne soit un pichou, hypothèse qui me semble des plus farfelues, étant donné l'équation ONU + Harvard + expérience télé.

Je n'ai pas d'expérience télé, moi. (Si l'on exclut la fois où j'ai été interviewée au centre commercial au sujet de mes achats de Noël, qui

était arrangée avec le gars des vues, en l'occurrence, Émilie.)

Zut de zut.

Mais c'est quoi cette attitude défaitiste,
Isabelle Boisvert? Tu suis l'émission de Jennifer
et Tristan tous les jours (je travaille le midi, bien
sûr, mais je l'enregistre). Tu as l'avantage d'avoir
une meilleure amie qui travaille à la télé. Tu
connais bien ton public, ton milieu, ta clientèle,
mieux qu'une Zoé fraîchement débarquée de
New York.

Tant pis. Je tiens mon bout.

– J'aimerais être considérée, répété-je.

L'air amusé, Christophe opine.

– D'accord. On s'en reparle.

De retour à mon bureau, je suis en feu. Il faut
que je me monte toute une stratégie, et que je
plante cette Zoé. Je la VEUX, cette chronique.
Je songe un moment à demander conseil à
Sandrine, mais elle n'est pas très généreuse, et
puis, elle ne m'a jamais pardonné mon commentaire mesquin, à notre retour de vacances, au
début du mois de janvier. (Ben quoi! Quand j'ai
dit que David Chartier était aussi ennuyant qu'il
était beau, comment aurais-je pu savoir qu'ils

étaient encore en couple? Je cherchais simplement à soigner mon pauvre ego malmené.)

J'appelle Émilie, à qui je raconte tout, et qui accepte officiellement de me coacher. Cet après-midi, elle écoutera en rafale plusieurs épisodes de *Jennifer et Tristan*, et ce soir, je me rends chez elle pour ma première répétition. Elle me filmera et ensuite nous analyserons ma performance ensemble! C'est la meilleure, Émilie.

En raccrochant, je suis brièvement rassurée, mais je me rends vite compte que ça ne suffira pas. Avec son expérience et ses diplômes, Zoé aura une longueur d'avance. Je ne dois pas simplement me mettre à niveau, je dois la pulvériser.

Ça prendra quelque chose de plus solide que les conseils télé d'Émilie (qui est une soie, mais qui manque totalement d'esprit analytique et stratégique).

Non, il me faut faire appel à un spécialiste. Un expert dans la duplicité et la manipulation psychologique.

Tiens, tiens...

Ça me fait penser à quelqu'un.

(À qui je refuse de penser.)

OK. Pas lui, alors, mais ce livre idiot qu'il traîne toujours partout? *L'Art de la guerre*, ou un truc du

genre, écrit par un Chinois d'avant Jésus-Christ ?
Pas Confucius, mais l'autre... (Confucius était
plutôt du genre pacifiste. Là, ce n'est pas d'un
proverbe pour biscuit chinois dont j'ai besoin,
c'est de stra-té-gie.)

Tant pis, je l'appelle. (Chose que j'évite scru-
puleusement de faire, d'ordinaire, mais il faut ce
qu'il faut.)

— Isa ? dit-il, l'air méfiant.

Je ne vais pas mordre, quand même !

(OK, ça m'arrive. Mais pas souvent.)

— Seb, dis-je (très-rapidement-pour-montrer-
que-c'est-un-appel-sérieux-qui-a-un-but-précis-
et-non-un-appel-juste-pour-jaser), tu peux me
prêter ton livre idiot, sur la guerre ?

— Ouais, OK. Tu veux que je le dépose dans ta
boîte aux lettres en rentrant ce soir ?

Humm. Pas super. Il y a des chances que je le
croise. Ce qui est toujours dangereux.

— Tu l'as au bureau avec toi ?

— Oui, mais je m'apprête à sortir, j'ai rendez-
vous chez un client.

Parfait.

— Tu peux le laisser à la réception et je passe
le cherche ce midi ?

— OK.

– Merci.

Il raccroche.

Je suis un peu distraite avec mon dernier patient de la matinée, mais à ma décharge, j'ai beaucoup de choses en tête.

L'art de la guerre, Sandrine, Zoé, la chronique...

Le pauvre monsieur Gingras n'en aura pas pour son argent, aujourd'hui.

Émilie

10 février, 12 h 15

Je SAIS que je finis de travailler à 13 h, mais il faut ce qu'il faut. Le cadeau de Charles ne s'achètera pas tout seul, et la Saint-Valentin, c'est dans quatre jours. Quatre. L'heure est grave.

J'ai patiemment attendu que Ludovic soit aux toilettes avant de m'esquiver. (Ludovic est notre chef recherchiste, aux tendances un peu marxistes-léninistes-totalitaires.)

Je marche à pas de loup vers la sortie, mon manteau roulé en boule sous mon bras.

Oups.

Je ferais mieux d'adopter une démarche plus normale, parce que la réceptionniste me regarde d'un drôle d'air.

Marche avec naturel, Émilie.

J'approche... Plus que quelques mètres...

Pan !

La main qui s'abat sur mon épaule me fait sursauter comme un coup de fusil qui claque dans la forêt. (Du moins, c'est ce que j'imagine :

à mon grand désespoir, je n'ai encore jamais été invitée dans une campagne anglaise pendant la saison de la chasse. Je me verrais bien, comme Kate Middleton, marchant à côté de mon homme à cheval, avant de rentrer prendre le thé avec la reine dans son château. Mes cheveux seraient bien sûr brillants et impeccables comme les siens, même sous la pluie.)

Ici, dans l'immédiat, c'est Marc, mon patron.

– Tu partais, Émilie ?

Ciel.

– Non, non, bien sûr que non, je ne partais pas, je…

Je bredouille comme une demeurée.

– Je sortais fumer ! m'écrié-je d'un ton triomphal qui semble étonner mon patron.

D'autant plus que non seulement je ne fume pas, mais c'est moi qui ai lancé une pétition, l'an dernier, pour qu'on réserve des tables à l'extérieur aux non-fumeurs. (Ben quoi ! Pas moyen de manger ma salade vietnamienne au soleil. Il y avait des fumeurs à toutes les tables ! Sauce aux huîtres + fumée de cigarette, ce n'est pas très ragoûtant. Et puis, on sort prendre l'air pour prendre l'air, non ?)

Marc ne dit rien. Il se contente de hausser le sourcil comme un top modèle. (Mais comment font-ils? Comment? Si vous saviez le nombre d'heures que je me suis exercée devant mon miroir, adolescente. Rien à faire. Les deux sourcils se lèvent, ou pas du tout. Ça doit être génétique. Si c'était seulement une question d'entraînement, j'aurais réussi, c'est sûr! Je me suis donné des rides prématurées, avec ça.)

— Tu peux venir me voir dans mon bureau, quand tu auras terminé? demande-t-il.

— Bien sûr.

J'enfile mon manteau et je sors.

Je poireaute sur place quelques minutes et je me retourne pour me rendre au bureau de Marc.

Un instant.

Trouvera-t-il louche que je ne sente pas la cigarette? C'est une odeur qui colle à la peau. Je la remarque toujours, quand les fumeurs rentrent au bureau d'une de leurs pauses cigarettes.

Je regarde autour de moi, cherchant un fumeur auquel me coller pour absorber un peu de son odeur.

Pas un.

LA fois où on a besoin d'eux, et ils se terrent.

Vraiment pas fiables, ces gens-là.

À leur décharge, il fait moins dix-huit, avec le facteur vent.

Ils doivent tous fumer dans leur voiture. Ou être allés s'acheter des Nicorettes.

Ah, ha!

Je me rends au bureau de Marc en mâchant vigoureusement.

Bon, c'est de la Dentyne, je n'allais tout de même pas consommer de la vraie nicotine pour ça, mais Marc n'y verra que du feu.

En effet, lorsque je m'assois, il ne commente ni mon nouveau statut de fumeuse, ni l'absence d'odeur, ni ma mastication énergique. Il a plutôt l'air soucieux.

– Émilie, demande-t-il, que penses-tu de Ludovic?

Quelle question étrange.

Que puis-je répondre à ça?

Je-le-déteste-il-fait-de-ma-vie-un-cauchemar?

Impossible.

Je n'aurais vraiment pas l'air d'être une joueuse d'équipe.

Il-est-extraordinaire-je-l'adore?

Pas sûre d'être capable d'affirmer cela sans pouffer de rire.

Alors je choisis la voie de l'autruche, et j'affirme qu'il est «bien correct».

Ha. Marc en pensera bien ce qu'il voudra.

– Nous songeons à lui pour un poste de journaliste. C'est important pour moi de bien connaître ses relations de travail.

Victoire !

Un poste de journaliste pour Ludovic = le poste de chef recherchiste pour moi.

Alors j'en beurre épais. Très épais.

Quelle excellente idée, Ludovic est extraordinaire, il fera un excellent journaliste, bla bla bli, bla bla bla.

Oups.

Je suis peut-être allée un peu trop loin.

Marc me dévisage, les yeux écarquillés.

– Euh, reprend-il, merci Émilie, je suis ravi d'apprendre que Ludovic est «comme un frère» pour toi, et que tu lui donnerais un rein sans hésiter. Je pense que ça suffit pour l'instant.

Je ricane nerveusement en le remerciant et je me sauve en courant vers mon bureau.

J'attrape mon sac à main, voulant reprendre ma tentative de fuite avortée, quand mon iPhone sonne.

C'est ma mère. D'habitude, je ne réponds pas, quand elle m'appelle au travail (avec elle, ce n'est pas possible de raccrocher avant une bonne quinzaine de minutes, et les appels personnels ne sont tolérés que s'ils sont hyper brefs). Mais cette fois-ci, tant pis pour Ludovic. Il ne sera pas ici pour faire la loi et l'ordre bien longtemps encore, ha! Quand ce sera mon tour, chacun pourra parler au téléphone aussi longtemps qu'il le souhaite.

Bon, il faudra travailler, parfois, mais nous nous débrouillerons.

– Allo, maman?

– Émilie, c'est maman.

– Je sais.

– Toi, tu devines toujours, quand c'est moi qui appelle.

Soupir.

– Je ne devine pas, maman, c'est mon télé-phone qui...

Ah et puis tant pis.

– Quoi de neuf?

– Quoi de neuf? Je vais te dire quoi de neuf. Ton frère m'a appelée.

– OK...

– Imagine-toi donc qu'il m'a dit que Lucia ne veut pas que la chorale du village chante à leur mariage!

(Mon frère Jack s'est fiancé à Noël. Sa promise, Lucia, est un parangon de tout ce qui est chic et de bon goût. Pas étonnant que ça clashe avec ma mère. La pauvre.)

– Et alors?

– Je me suis déjà engagée, moi! Ils répètent depuis des semaines! Une belle chorale, Émilie, tu devrais les entendre. Le baryton, c'est notre boulanger, tu sais, la boulangerie à droite en haut de la rue principale? Leur tarte au citron est vraiment quelque chose et...

Il faut que je l'interrompe.

– Pourquoi Lucia ne veut-elle pas de la chorale?

– Elle a engagé une soprano. Elle dit qu'elle veut une belle voix, pure et claire.

– Maman, c'est son choix. C'est son mariage.

– Peuh! Le mariage, c'est une affaire de famille, tu sauras.

– Maman...

– C'est ton frère, aussi, qui se mêle toujours de tout. Je pense que je vais appeler Lucia directement. Je lui dirai à quel point la chorale est bonne. Elle changera d'idée, j'en suis sûre.

– Maman, non, ce n'est pas une bonne idée, Jack doit essayer de...

– Bye, ma chérie!

– Non, maman, attends!

Clic.

Ce doit bien être la première fois de ma vie que je supplie ma mère de ne pas raccrocher.

Je m'apprête à appeler Lucia pour la prévenir quand je remarque que Ludovic et Marc me regardent d'un drôle d'air.

Oups.

Tant pis. Lucia est une grande fille, je suis sûre qu'elle se débrouillera.

– Émilie, dit Ludovic, pouvons-nous te parler?

Ciel. Est-ce déjà le grand jour? Marc n'a pas perdu de temps.

– Nous avons obtenu une entrevue exclusive avec le réalisateur Luc Mongeau, dit Marc. Ludovic voudrait que tu la prépares.

Vraiment? Ludovic se garde toujours les entrevues exclusives pour lui. Surtout avec une personnalité aussi connue que Luc Mongeau.

Wow, j'ai vraiment sous-estimé Ludovic. Il doit savoir que je m'apprête à le remplacer, et il veut me préparer la voie.

– Moi? Merci, Ludovic, ça me fera plaisir.

– Le rendez-vous est à son hôtel, samedi à 17 h.

– Samedi ? Mais…

– Il y a un problème, Émilie ? me demande Ludovic, l'air innocent.

Le salaud ! Il sait bien qu'il y a un problème. Il m'a entendue faire ma réservation au restaurant pour la Saint-Valentin, ce samedi soir. Il m'a même fait les gros yeux quand j'ai raccroché.

Je ne l'ai pas sous-estimé du tout. Il est encore plus serpent que je le croyais.

Marc me regarde, curieux.

Je ne peux quand même pas péter ma coche devant lui. Ni engueuler mon presque frère (à qui je donnerais un rein) et lui dire ce que je pense de lui.

Il m'a eue, en me demandant ça devant Marc.

Une bataille titanesque se livre en moi. Prouver ma valeur au travail… ou réussir ma Saint-Valentin de rêve.

Je hais ce Ludovic.

Un instant. Peut-être y a-t-il moyen de m'en sortir ?

Après tout, un petit mensonge blanc n'a jamais fait de mal à personne.

– J'aimerais beaucoup, bien sûr, mais y a-t-il moyen de modifier l'heure ? J'ai un rendez-vous chez le médecin.

– Chez le médecin ? Un samedi à 17 h ? demande Ludovic, l'air dubitatif.

Zut. C'est vrai que ce n'est pas très plausible. Pourquoi n'ai-je pas dit que j'aidais ma mère à déménager ?

– Émilie, cette entrevue est très importante pour nous, dit Marc.

Voilà qui suffit à me rabattre le caquet. Vraiment, être patron, c'est comme avoir des pouvoirs magiques, à la Luke Skywalker dans *La guerre des étoiles*. Marc répète une consigne d'une voix calme, et on obtempère comme des zombies.

Pas étonnant qu'il y en ait à qui ça monte à la tête, avec le temps. (Je n'accuse personne en particulier. Je dis simplement que ça existe.)

Je dois me résigner.

Ma Saint-Valentin est à l'eau.

J'ai vraiment envie de pleurer.

Mais Ludovic me regarde d'un air tellement satisfait que je prends une profonde inspiration, je souris, et je retourne m'asseoir, l'air calme et au-dessus de mes affaires.

Quelle catastrophe.

Isa

10 février, 13 h 45

Argh !

Encore Émilie qui m'appelle au sujet de sa foutue Saint-Valentin. Elle est en larmes. En larmes ! Quelle *drama queen*. Elle me raconte une histoire sans queue ni tête, avec Ludovic, son frère et un don de rein. Je n'y comprends absolument rien.

Pour être honnête, je n'essaie même pas. Je suis plongée dans la lecture de *L'art de la guerre* et c'est fas-ci-nant.

Cette histoire d'en tuer un pour en terri-fier un millier, c'est exactement l'approche qu'il me faut. Je plante cette Zoé et personne n'osera plus m'affronter. Ha !

Je répète « oui » à intervalles réguliers, tandis qu'Émilie continue son interminable laïus.

Du coin de l'œil, j'aperçois Christophe qui s'approche de mon bureau.

– Très bien, monsieur Gingras, dis-je à Émilie d'un ton sérieux, on vous voit la semaine prochaine.

– À bientôt, madame Boisvert, répond Émilie en prenant une grosse voix de camionneur.

Ce qu'il y a de bien avec elle, c'est qu'elle pige toujours tout de suite. Même en situation de crise.

Je raccroche et je souris à mon patron.

Alias la personne la plus importante du monde en ce moment, si je veux décrocher cette audition.

– Bon, Isabelle, tonne-t-il, ton audition aura lieu demain. Celle de Zoé aussi. Elle arrive au bureau bientôt, je veux que tu l'installes, puis que tu l'emmènes prendre un café et faire connaissance. Voilà !

Et il tourne les talons.

Voilà, en effet.

Ark.

Installer Zoé au bureau.

Aller prendre un café.

Faire connaissance.

Alors que je ne peux déjà pas la sentir.

Quelques minutes plus tard, Vanessa m'appelle pour me dire que mon invitée est arrivée.

Je me traîne les pieds jusqu'à la réception. De loin, je vois une fille grande (je le savais!), mince (cela va sans dire) et habillée comme une carte de mode. (Une mode que je ne comprends même pas. On dirait qu'elle porte les pantalons bouffants de MC Hammer. Avec des bottes courtes et un tricot à gros crochets. Faut vraiment que j'aille magasiner.)

Elle a les cheveux courts et bouclés comme une danseuse de Charleston. Elle est vraiment jolie.

Un doctorat de Harvard, une expérience de travail à l'international, une garde-robe avant-gardiste ET un joli minois.

C'est vraiment injuste.

Fallait que je porte un jean et un vieux chemiser aujourd'hui, aussi!

Alors que j'aurais tout aussi bien pu choisir cette robe Velvet que Lucia a rapportée de Los Angeles, et qu'Émilie m'a donnée car elle ne lui faisait pas aux hanches. (Lucia est la future belle-sœur d'Émilie, c'est-à-dire la fiancée de son frère Jack, et elle donnerait du fil à retordre à cette Zoé, aux Olympiques de la *fashionista*. C'est décidé. Demain matin, je m'habille chez Émilie – qui hérite de la «vieille» garde-robe de Lucia chaque début de saison.)

Bien sûr, ce n'est pas l'habillement qui compte, c'est la compétence et les aptitudes profession-nelles. C'est évident.

Mais la confiance en soi, aussi, ça compte.

Et c'est im-pos-si-ble d'avoir confiance en soi en jean et en vieux-chemisier-ayant-peut-être-appartenu-à-sa-mère. Les cheveux même pas si propres. C'est un fait prouvé scientifiquement.

Demain matin : mise en plis.

Peut-être que je devrais demander à Lucia de m'emmener magasiner. Depuis le temps qu'elle me le propose. (À bien y penser, ça signifie quoi, cette insistance ?)

Cette foutue Zoé. Plus je m'approche, plus je la déteste.

La réceptionniste me pointe du doigt et Zoé se tourne vers moi.

– Isabelle ? C'est toi ?

Je hoche la tête.

Elle me saute dessus et me fait une bise enthousiaste.

Bizarre.

– Christophe m'a tellement parlé de toi ! Je sens que nous allons vraiment bien nous entendre.

Ah, bon ?

Je la guide vers son bureau en silence.

Bon. Moi, je suis silencieuse. Elle, elle jacasse comme une pie.

Elle est si contente d'être ici! De retour à Montréal! De travailler de nouveau en français! De se joindre à une équipe si réputée! Elle en a tant à apprendre!

Waouh.

Enthousiaste, la Zoé.

Je ne mentirai pas: d'ordinaire, je suis comme elle. (Malheureusement pas en ce qui concerne mes goûts vestimentaires, mais on va régler ça dès demain.)

Mais aujourd'hui, je suis incapable de jouer le jeu. Je lui réponds par monosyllabes, trop découragée de voir mes rêves professionnels s'évaporer en fumée.

Je pousse un soupir de découragement que Zoé ne semble pas remarquer.

(Heureusement. *L'art de la guerre* dit bien de ne jamais révéler ses faiblesses à son adversaire.)

J'arrive au bureau de Sandrine, déjà vide. Je l'invite à entrer.

Zut.

Le bureau de Sandrine est vraiment mieux situé que le mien. Il y a une grande fenêtre et il est près de la machine à café. Alors que moi, je suis en Sibérie septentrionale.

J'aurais vraiment dû y penser avant, et changer de place avant que Zoé arrive.

Zoé : 1. Isa : 0.

Je la laisse s'extasier à voix haute en découvrant son bureau. (Bien situé, OK, mais quand même minable. Ils les installaient où, dans son ancien cabinet, dans un placard à balais ? Quoique connaissant les loyers new-yorkais, c'est possible.)

Je retourne en Sibérie ramasser mes clés et mon manteau. Je réponds à quelques courriels, voulant retarder le moment où je sortirai seule avec La Menace américaine. (C'est ainsi que j'ai surnommé Zoé dans ma tête. Je sais bien qu'elle est québécoise, mais selon *L'art de la guerre*, ça aide de dépersonnaliser son ennemi.)

L'art de la guerre dit aussi qu'il faut bien prendre soin de son ennemi, car il est le sujet de demain. Dans cette perspective, au lieu d'être mesquine et d'aller au Tim Hortons du coin, j'entraîne Zoé à ma boulangerie préférée.

Ben quoi !

Pas besoin de souffrir plus que nécessaire.

Nous sommes assises devant nos cappuccinos et nos brioches à l'érable. Zoé ne semble pas remarquer la froideur de mon accueil. (Elle croit peut-être que je suis toujours comme ça, mais vraiment, elle pourrait allumer. Je suis si peu réceptive que j'en suis presque autiste.)

Je dois dire qu'après un moment je m'intéresse malgré moi à ses propos. C'est qu'elle n'a pas qu'un joli minois, la Zoé. Elle est intelligente et intéressante.

Misère! J'ai vécu deux ans dans l'ombre de miss-parfaite Sandrine, me réconfortant en me disant qu'il ne pouvait y en avoir qu'une comme ça sur la planète. Mais non. Il y a son clone et j'y ai droit!

Manque de bol to-tal.

Éventuellement, l'iceberg de mon indifférence dégèle un peu et je discute prudemment. Il ne faudrait pas que Zoé raconte à Christophe que je l'ai mal accueillie. Et puis... peut-être serait-ce à mon avantage de devenir copine avec elle? Jouer la fille sympathique, l'amener à se confier... Tiens, tiens, pourquoi pas...

Pas bête du tout, ça.

Deux heures plus tard, nous nous bidonnons encore à la pâtisserie. Elle peut être rigolote, Zoé.

Et je dois dire que c'est très utile de parler de l'audition avec elle. Elle ne me donne pas du tout les mêmes conseils qu'Émilie. Et elle a de l'expérience, elle, comme psychologue à la télé. Alors qu'Émilie travaille pour une émission de variétés. Ce n'est de toute évidence pas la même chose.

Exemple. Émilie m'a dit de porter une couleur vive, comme le rouge. (Qu'est-ce que c'est que cette obsession qu'elle a de me voir en rouge ? C'est vrai que ça me fait bien. Mais quand même.) Alors que Zoé prévoit s'habiller tout en noir. Ça fait plus sérieux et plus intello.

Pas bête.

Ha ! Zoé et moi serons les meilleures, demain.

Bon, l'une de nous doit obligatoirement être LA meilleure.

Et avec ma vision stratégique de calibre militaire, ce sera nécessairement... moi.

Mouhahahaha.

– Mercredi 11 février –

Je t'aime comme un fou,
mais tu t'en fous...

Charles

11 février, 8 h 35

Je n'ai pas dormi de la nuit.

Ce foutu Seb.

Ce &?%&*$ de Seb, plutôt.

Que peut-il bien avoir en tête?

Ça me rend fou.

Quelle surprise si extraordinaire peut-il avoir prévue?

Et pourquoi pense-t-il que ça va mal, entre Émilie et moi?

Lui a-t-elle confié quelque chose que j'ignore?

Je voudrais bien lui poser la question, à Émilie, mais...

Ça ne se demande pas au téléphone. Encore moins par texto. Et hier soir, après le travail, j'ai dû emmener Florence à son activité parascolaire de cinéma (dans mon temps, c'était *Génies en herbe* ou rien). Quand nous sommes rentrés, Émilie dormait.

Ce foutu Seb me rend fou.

Fou.

Au point que j'ai fait quelque chose... de vraiment cave.

Je suis au gym.

Debout dans la douche.

Attendant silencieusement.

Espérant que Seb se remettra à jaser dans le vestiaire.

(Je suis habillé, cette fois-ci. Je suis peut-être fou, mais ce n'est pas une raison pour attraper un rhume.)

J'attends, j'attends, j'attends.

Tentant de me convaincre que je suis un traqueur d'élite en mission commando, plutôt qu'un plouc pathétique qui espionne l'ex de sa blonde dans les toilettes de son gym.

Un bruit de pas... une voix... c'est Seb!

Je me raidis, tendu comme un puma prêt à bondir.

Seb dit salut à quelqu'un.

Parle de l'épisode de *Breaking Bad* qu'il a écouté la veille.

Claque la porte de son casier.

Et sort.

Merde.

Tout ça pour ça.

Vraiment ridicule.

J'ai franchement de meilleures façons de passer mon mercredi matin.

Je sors de la douche, tirant le rideau tellement fort que je menace de l'arracher. Je claque d'un coup sec la porte du casier à côté de ma tête.

Le mec qui discutait avec Seb me regarde d'un air surpris.

Ben quoi ! T'as jamais vu un gars en colère, eh, patate !

Oups.

Peut-être pas un gars en colère qui sort tout habillé (et sec) de la douche.

Fuck.

Émilie

11 février, 9 h 04

Méga revirement de situation. Méga.

Ce Ludovic m'a joué tout un tour.

J'ai appelé l'équipe de Luc Mongeau.

Ha!

L'entrevue n'est pas prévue ce samedi.

Elle est prévue samedi prochain.

Sa-me-di pro-chain!

Alors que je n'ai aucune fête à célébrer.

Aucun souper d'amoureux au calendrier.

Et je suis libre comme l'air.

Tout à fait disposée à rencontrer un cinéaste célèbre.

Ludovic devait savoir que ça m'embêterait, de manquer la Saint-Valentin. (Pas besoin d'être devin, je ne parle que de ça depuis des semaines; pas à lui, bien sûr, mais à ma collègue Macha, et le bureau de Ludovic n'est pas loin du mien.)

Il devait espérer que je refuse, et que je me discrédite devant Marc. Il aurait fait d'une pierre deux coups: se garder la super entrevue de Luc Mongeau pour lui tout seul, et me faire perdre tout espoir de le remplacer à la tête de l'équipe.

Double ha !

Est bien pris qui croyait prendre.

Je suis une championne.

Je gigue sur place dans mon bureau.

J'ai hâte d'appeler Isa ! Elle doit être tellement nerveuse. Mais je l'ai super bien coachée. Elle est prête, ultra prête ! Ce sera une grande chroniqueuse.

Tiens, quand je serai animatrice, et que j'aurai une émission à moi, je l'inviterai comme chroniqueuse régulière. On fera une super équipe !

Ou peut-être pas.

Isa est super, bien sûr, elle est ma meilleure amie, mais... elle n'est pas très discrète. Un vrai livre ouvert.

Jamais su comment elle faisait pour respecter le secret professionnel avec ses patients. (À bien y penser, elle m'en raconte des vertes et des pas mûres. Ça ne doit pas toujours être permis par son code de déontologie.)

Oui. Mieux vaut qu'elle ait son émission à elle et que j'aie mon émission à moi. C'est plus sûr.

Si jamais elle s'avisait de raconter en ondes que j'ai...

Mon iPhone sonne.

Encore ma mère!

Elle devient folle, avec cette histoire de mariage. Je n'ai jamais vu ça. Elle doit bien m'appeler dix fois par jour pour en parler.

Je n'ai pas que ça à faire, moi. L'émission terminée, je suis vite venue m'asseoir à mon bureau pour aller me balader sur Internet.

Y dénicher ZE cadeau parfait pour Charles.

Tant pis pour ma mère, je ne réponds pas. Elle laissera un message. Je suis occupée.

C'est que j'ai réfléchi. Un chandail, c'est d'un ennui mortel. Ça me prend un cadeau qui hurle « je t'aime ».

Je peux peut-être trouver d'autres billets, pour le show de U2 ?

Oui. Dans la cent douzième rangée.

Qu'est-ce qui m'a pris aussi, de revendre ces billets de la troisième rangée ? C'était le lendemain d'une sortie avec Isa. Je devais être encore soûle. Aucune autre explication n'est possible.

Mon téléphone sonne de nouveau, avec insistance cette fois. Le visage de ma mère menace de faire exploser mon écran. Je cède.

– Allo-maman-je-ne-peux-pas-te-parler-ma-réunion-d'équipe-est-à–la-veille-de-commencer.

Je m'apprête à raccrocher quand d'étranges bruits me parviennent. Mon Dieu, ma mère est-elle en train de s'étouffer ?

– Maman ? Ça va ?

– Non ! Non, ça ne va pas du tout !

Elle pleure.

Ma mère pleure !

Elle ne pleure jamais.

Que lui est-il arrivé ? Pourvu que ce ne soit pas papa... Je me mords l'intérieur de la joue, tenant mon téléphone d'une main crispée.

– C'est ton frère !

– Jack ?

Mon petit frère ! Je me raccroche à mon bureau, sentant le sol vaciller sous mes pieds.

– Il... il... il...

Je l'entends qui sort sa pompe à asthme de son sac. Elle respire cinq bons coups.

– Émilie, ton frère est devenu fou.

Qu'a-t-il bien pu faire pour mettre ma mère dans un état pareil ?

– Il... il part au Belize, lundi ! révèle-t-elle enfin.

OK.

Je sais que ma mère aime les situations dramatiques. (Depuis qu'elle est à la retraire, en fait. Elle devrait se joindre à une compagnie de théâtre amateur et nous laisser tranquilles). Mais là, elle exagère.

Tentons d'y voir plus clair.

– Il y a va pour le travail ou il prend des vacances?

C'est vrai qu'il prend si peu de vacances, mon frère (grand-avocat-de-renom-dans-un-cabinet-prestigieux-à-six-noms), que ce serait presque inquiétant qu'il parte, comme ça, spontanément, comme une personne normale. Ce doit être un voyage pour le travail.

– Ni pour le travail ni des vacances. Émilie, ton frère part se marier!

Quoi?

Impossible.

Mon frère et Lucia se marient en juillet, à la maison de campagne de mes parents. J'ai déjà acheté ma robe. La plus belle robe du monde, choisie avec Lucia, serrée où il faut, échancrée où il faut, bref, je me sens comme une déesse grecque quand je l'enfile.

Bien sûr, je ne l'ai jamais portée, je la garde pour le mariage. Je la mets juste des fois, quand je suis seule chez moi, pour vérifier qu'elle me fait encore. Parfois j'écoute la télé avec. Ou je danse devant mon miroir. En fait, je fais tout sauf cuisiner. Je n'ai pas l'intention de la tacher.

Tout ça pour dire que Jack ne peut absolument pas se marier au Belize lundi, il se marie au Québec en juillet!

À moins que...

À moins qu'il ait rencontré une autre fille, qu'il ait eu un coup de foudre, qu'il abandonne Lucia, qu'il parte marier sa nunuche bélizienne qui l'utilise pour obtenir un visa canadien?

OK, Émilie, tu n'as plus jamais le droit d'accuser ta mère d'être une *drama queen*.

– Au Belize? Comment peut-il se marier au Belize? Avec qui?

– Avec Lucia, voyons! Mais pour qui prends-tu ton frère?

Je tente de calmer ma mère. Si elle s'échauffe, je ne suis pas prête d'en apprendre plus.

Enfin, la vérité sort.

Mon frère a annulé son mariage sous chapiteau avec calèche de chevaux, repas cinq services, arrangements floraux et chorale du village (Lucia n'allait jamais gagner le coup de la soprano).

Lucia et lui s'envolent vers le Belize où ils se marieront seuls sur une plage. Avec le prêtre du coin et deux témoins trouvés au hasard.

Ma mère est dans tous ses états. Elle avait planifié ce mariage avec la précision d'une opération militaire. (Encore la faute à sa retraite. Je ne prendrai jamais la mienne, juré.)

Je dois avouer que moi aussi, ça me fait paniquer. Un, j'adore les mariages. Deux, je ne peux m'empêcher de penser à ma pauvre robe. Elle mérite son heure de gloire. Où pourrai-je lui donner l'attention qu'elle mérite ? Dans un bar, j'aurais l'air pathétique. Du genre qui essaie trop fort. Chez des gens, la même chose. Au travail... je pourrais essayer, mais il faudrait que je la rende moins chic, avec des sandales plates et un manteau en jean.

Ma robe mérite beaucoup mieux que ça.

Sacré Jack !

Je console ma mère du mieux que je peux, tentant de défendre la pauvre Lucia que ma mère accuse d'avoir manigancé ce coup d'État, quand j'aperçois l'heure sur mon ordinateur.

Catastrophe ! La réunion d'équipe est commencée. Et notre animatrice, Cassandre, ne tolère pas les retards. (C'est le propre des divas :

« Si *moi* je réussis à être à l'heure, je m'attends à ce que tout le monde le soit. » Sous-entendu : son temps est tellement plus précieux que le nôtre.)

– Maman, je dois y aller ! Mais ne fais rien avant de m'en avoir parlé !

Je raccroche précipitamment.

Il ne manquait plus que ça !

Je ne trouverai jamais ce foutu cadeau.

Isa

11 février, 11 h 35

Je suis assise sur une chaise de plastique extrêmement inconfortable, attendant qu'on m'appelle.

C'est l'heure de l'audition !

J'ai un peu mal au cœur. (Ça doit être la nervosité. Rien à voir avec la bouteille de bulles qu'Émilie et moi avons bue, hier soir, et qui était d'usage purement médicinal, question de calmer mes nerfs à vif pour que je puisse m'exercer.)

Zoé est assise à côté de moi, impassible. Nous sommes les numéros treize et quatorze, respectivement, au bout d'une longue rangée de filles qui semblent TOUTES compétentes, jolies, allumées, bref, parfaitement capables de reprendre la chronique de Sandrine. Et elles sont TOUTES vêtues de chandails colorés, sauf Zoé et moi, qui avons l'air d'un nuage noir au bout d'un arc-en-ciel. Ha ! Je parie qu'aucune d'entre elles n'a l'expérience télé de Zoé. Bande d'amateurs !

Je regarde autour de moi.

Que c'est étrange, un studio de télévision! Nous sommes entourées des trois décors de *Jennifer et Tristan*: la cuisine, le salon, et la véranda qui donne sur un faux jardin. Aujourd'hui, les auditions ont lieu au salon.

Vous allez me trouver vraiment, mais vraiment nouille: jusqu'à maintenant, je croyais que le tournage avait lieu dans une vraie maison.

Je sais!

Complètement à côté de la plaque.

Je ne suis peut-être pas faite pour la télévision après tout.

J'écoute la douzième chroniqueuse, que je ne parviens plus à distinguer des onze qui l'ont précédée. Je me demande si c'est un avantage ou un inconvénient, de passer en dernier? Soit ils auront oublié toutes celles qui nous ont précédées, soit ils auront déjà fait leur choix, disons, au numéro trois et cinq. (Elle était pas mal, la cinq.)

Jennifer Langlois, Tristan McNally et leur réalisateur sont installés en face du faux salon, derrière une table, comme des juges de téléréalité. Je me demande qui jouera l'archi-méchant, la larmoyante, le sympa. À voir la tête de Jennifer, je ne crois pas qu'elle ait une once de Paula Abdul en elle. Elle semble plutôt incarner Simon Cowell à la puissance dix. Rien ne paraît lui plaire. Soit elle pince les lèvres comme si on la forçait à avaler du vinaigre, soit elle bâille. Je ne sais pas ce qui est le pire. Tristan, lui, semble beaucoup plus sympathique et il sourit à chacune avec bonhomie.

Quand c'est enfin au tour de Zoé, je lui adresse un petit sourire, mais elle ne me regarde pas. Elle se lève et retire son cardigan noir, révélant un superbe chandail rouge.

Quoi???

Ce n'est pas possible.

C'est une blague ou quoi?

La vache.

Elle a dû lire *L'art de la guerre*, elle aussi. Chapitre un: attaquez votre adversaire là où il ne s'y attend pas.

Bravo, Zoé. C'est réussi.

Dire que j'ai cru l'avoir bernée, avec ma fausse gentillesse. Alors qu'elle devait se moquer de moi dans sa barbe!

Pour une psychologue, j'ai singulièrement manqué de psychologie.

Zut!

Je déteste me faire avoir.

Je me vengerai. Coûte que coûte.

J'observe attentivement mon ex-adversaire/ ex-fausse-amie/nouvellement-adversaire (vous me suivez?).

Assise dans un fauteuil dans le «salon», l'air complètement à sa place, elle est terriblement à la mode. Un jean argenté moulant. Des bottillons de daim aux semelles compensées. Un chandail aux teintes pourpres. Une frange asymétrique qui lui mange la moitié du visage.

Et un sérieux... à tout casser.

Elle en impose, Zoé.

Elle est presque solennelle, devant la caméra. Grave. Digne. Jennifer, Tristan et le réalisateur sont suspendus à ses lèvres. On entendrait une mouche voler, dans le studio. Même moi, je ne respire plus.

Zut.

C'était mon plan de match, à moi aussi.

Longuement réfléchi avec Émilie.

Paraître professionnelle, assurée, compétente.

Me distinguer des Miss Météo qui forment la majorité du contingent présent en audition aujourd'hui.

Et voilà que cette Zoé m'a prise de vitesse.

Nous ne pouvons quand même pas être deux archi-sérieuses de suite. Ça ne ferait pas sérieux,

justement. Au mieux, j'aurais l'air complètement insignifiante, une pâle copie de ce qui m'a
précédée. Au pire, j'aurais l'air de l'imiter.

C'est décidé.

Changement de cap majeur.

Je serai la plus sympathique, la plus exubé-
rante des chroniqueuses.

Mais ce n'est pas trop dans ma nature. Je suis
plutôt du genre cynique.

Comment faire ?

Je sais !

Je prétendrai être Émilie. Émilie est toujours
comme ça. Pleine d'énergie, de bonne volonté.
D'empathie. (À bien y penser, c'est peut-être elle
qui aurait dû devenir psychologue.)

Zoé termine sa présentation et reprend place
à mes côtés, toujours sans me regarder. On
m'appelle.

Je me lève.

Que ferait Émilie, dans cette situation ?

Je pousse un petit cri de joie, je fais un énorme
sourire, le coin des lèvres étiré jusqu'aux
oreilles, et je monte en joggant énergiquement
les quelques marches qui mènent au plateau,
tout en faisant des coucous de la main au jury
ébahi.

En ai-je trop fait?

Non. Je mettrais ma main au feu qu'Émilie, en pareille circonstance, leur aurait soufflé un bisou.

Allez, go, j'attaque, avec l'enthousiasme d'une meneuse de claque.

– Bonjour tout le monde, en studio et à la maison! Aujourd'hui, nous allons parler du célibat! Oui, le célibat! Si vous lisez les journaux ces temps-ci, ou sortez dans les magasins, vous pourriez être portés à croire que le célibat est une des douze plaies d'Égypte! Eh bien, ce n'est pas le cas! Le célibat, c'est un état normal, qu'on le vive par choix ou parce qu'on est entre deux relations! Oui, vous avez bien entendu! Vous n'êtes pas seuls pour toujours, vous êtes entre deux! Vous voyez qu'il n'y a vraiment pas de quoi en faire tout un drame! Alors ce samedi 14 février, j'invite tous les célibataires à faire un gros doigt d'honneur à l'industrie des petits cœurs rouges! Sortez de vos tanières! Seuls ou entre amis, allez au restaurant, faites déplacer ces tables toutes dressées pour des couples, faites du bruit, prenez de la place! Vous verrez comme ça fait du bien! Bonne Saint-Valentin, les célibataires!

Oui. Un point d'exclamation à la fin de chaque phrase.

Je me relève, tremblante. Le réalisateur m'adresse la parole.

Ich.

Ils n'ont parlé à personne, jusqu'ici. Se sont contentés de hocher de la tête quand une chronique se terminait.

Est-ce bon signe ou mauvais signe ?

Je n'arrive pas à réfléchir, je suis pompée à l'adrénaline et à la performance de meneuse de claque que je viens de donner.

– Mademoiselle Boisvert, dit-il, puis-je vous demander pourquoi vous avez choisi de vous vêtir de noir ? Vous savez bien que cette couleur est interdite sur notre plateau.

Interdite ? In-ter-di-te ?

La sacrée Zoé devait le savoir. Ça explique l'arc-en-ciel assis en rang d'oignons devant moi.

C'est sa faute à elle, ai-je envie de m'écrier en pointant un doigt accusateur vers le visage satisfait de Zoé. Elle m'a menti !

Mais je me retiens. Ça ferait un peu cinquième année B.

Je me contente de bredouiller que je n'étais pas au courant, et je retourne m'asseoir. Je capte en passant le sourire empreint de bonhomie de Tristan McNally.

Nous sortons du studio à la queue leu leu.

Dès que nous arrivons dans le corridor, Zoé sourit innocemment et me félicite.

– Zoé Delva! C'est ta faute! Tu m'as menti! Pourquoi m'as-tu dit de m'habiller en noir?

J'avais raison. Complètement cinquième année B.

Pas du tout professionnelle.

Heureusement que personne d'autre n'est là pour m'entendre.

Zoé écarquille les yeux avec l'air dépassé de Bambi sur la glace. Quelle actrice.

– Voyons, Isa, je ne le savais pas non plus. J'étais habillée en noir, moi aussi.

– À la dernière minute, tu as enlevé ton cardigan noir!

– Seulement parce que je craignais d'avoir trop chaud. Mon Dieu, tu es bien dramatique!

Ha! Si elle pense qu'elle va m'avoir si facilement. *L'art de la guerre* avait raison. Toute guerre est fondée sur la tromperie.

Eh bien, si c'est comme ça... Trompons.

Florence

11 février, 19 h 12

Les vieux, des fois! Ils sont vraiment sans dessein. Mon père, surtout. Aveugle comme une chauve-souris. En rentrant de l'école, je l'ai trouvé dans la cuisine, assis devant son ordinateur, en train de s'arracher les cheveux. (Et ce n'est pas pour être méchante, mais il ne peut vraiment pas se le permettre, si vous voyez ce que je veux dire.)

Moi : Qu'est-ce que t'as, papa?

Papa : Rien, rien.

Moi : Papa!

Lui : Quoi?

Moi : Qu'est-ce que t'as?

Lui : Rien!

Je vous épargne les quatre répliques suivantes qui sont restées dans la même veine. Enfin, il a craqué.

Papa : C'est Seb.

Ouh. Seb. L'ami d'Émilie (la blonde de mon père). Très beau. Ressemble à Robert Pattison. C'est tout dire.

Moi : Qu'est-ce qu'il a, Seb ?

Lui : Ah, je n'aurais rien dû te dire.

Ça devient intéressant.

Moi : Papa !

Lui : OK. Seb planifie faire une grosse surprise à Émilie pour sa fête.

Moi : Et alors ?

Lui : Et alors, il faut que je trouve une meilleure surprise !

Moi : C'est quoi, la surprise de Seb ?

Lui (piteux) : Je ne sais pas.

Moi : Ouin. T'es mal parti.

Lui (encore plus piteux) : Je sais.

Moi : Tu sais c'est quoi, ton problème, papa ?

Lui : ...

Moi : T'es pas romantique.

Lui : Et v'lan dans les dents.

Moi : Quoi ?

Lui : Rien. Pourquoi tu dis ça, ma puce ?

Je n'allais tout de même pas lui révéler que j'ai entendu maman et tante Madeleine en parler, pas plus tard que la semaine dernière. J'étais dans le salon, maman et tante Madeleine buvaient un verre de vin dans la cuisine, et mon film était fini. J'allais monter me coucher, mais leur conversation s'est révélée plus intéressante que

Morning Glory. (Un navet. Je me serais attendue à mieux de la part de Rachel McAdams. Faire *The Notebook* et ça dans une même carrière, ça ne devrait pas être permis.)

Maman : En tout cas, Luc est vraiment extraordinaire.

(Luc ? Jamais entendu parler d'un Luc.)

Tante Madeleine : Mais ça ne te fait pas peur, toutes ces nymphettes qui lui tournent autour ? C'est un cinéaste si connu.

Maman : Bah. Les nymphettes, il en a eu. Il veut une vraie femme, maintenant.

Tante Madeleine : C'est ce qu'il te dit ? Beau parleur.

Maman : Ah, ça oui ! Si romantique.

Tante Madeleine : Ça te changera de Charles.

Maman (riant) : Arrête ! Il n'était pas si pire.

Tante Madeleine : Tu le disais toi-même ! Tous les anniversaires : un chandail de chez Banana Republic. Toutes les Saint-Valentins : une douzaine de roses rouges.

Maman : C'est vrai qu'il n'était pas très original.

Tante Madeleine : Bon ! Tu vois. L'originalité, c'est romantique.

Maman : Parlant d'originalité, tu ne sais pas que ce Luc a fait quand je suis arrivée chez lui, hier soir ?

Tante Madeleine : Raconte...

À ce moment, elles ont baissé la voix et je n'ai rien entendu de plus. Que des gloussements et des éclats de rire de temps à autre.

Mon pauvre papa, donc, est officiellement un cancre du romantisme. Il ne s'en sortira jamais tout seul.

Charles

11 février, 19 h 15

Manque de jugement.

Majeur.

J'ai raconté à ma fille que je cherchais un cadeau super romantique pour la fête d'Émilie.

Elle a décidé de prendre les choses en main.

Florence a treize ans.

Bien hâte de voir ce qu'elle *croit* connaître au romantisme.

Elle est assise devant moi à réfléchir, d'un air profond (lui manque que le poing sur le front et elle serait *Le Penseur* de Rodin – en moins musclée et plus habillée).

Soudain, son visage s'éclaircit.

– Je l'ai!

J'ai peur.

– Tu te souviens, quand j'ai failli couler mon cours de math?

Si je m'en souviens. Grave, comme mes études m'ont semblé loin. Moi qui suis ingénieur! Mais une homothétie dans un plan cartésien...

Je ne peux pas croire qu'ils apprennent ça en secondaire deux.

– Que m'avais-tu dit, papa, cette fois-là? Tu te souviens?

– Je t'avais dit que tout s'apprend, dans la vie. Il suffit d'y mettre le temps et l'effort.

– Bingo!

– Quoi, bingo? Je ne pense pas que c'est ton prof de math qui va me tirer d'affaire ici.

– Mais non, nono! C'est le romantisme qui s'apprend.

Elle est bonne, celle-là.

– Et qui va m'enseigner ça? Toi?

Pfft! Elle n'a jamais eu de chum sérieux. (Enfin, elle est mieux. Je garde mon fusil à plomb dans un placard, juste au cas.)

– Tu vas apprendre des spécialistes.

– Les spécialistes?

– Les films, voyons! Je vais te faire une cure de films romantiques. Tu verras, tu trouveras, c'est sûr!

Je souris.

Elle est mignonne, ma fille.

Si idéaliste.

À treize ans... elle croit encore que la vie, c'est comme dans les films.

Ce n'est certainement pas moi qui vais la désabuser.

– Bonne idée, ma chérie.

– Ouais! s'exclame Florence. C'est la seule façon d'y arriver.

Et elle s'élance à la course vers sa chambre pour piger dans sa collection de DVD.

Il y a pire dans la vie que de passer trois soirs en tête à tête avec sa fille à regarder des films.

Émilie

11 février, 19 h 18

J'appelle Charles. Ça ne répond pas.

Il a ses enfants, ce soir.

Je serais bien passée les voir, mais…

Je n'ose pas débarquer sans préavis, quand ils sont là.

C'est quand même chez eux.

Je tourne en rond dans mon salon.

J'ai appelé Seb trois fois, sans succès. Il est toujours occupé, ces temps-ci. C'est louche. Il doit y avoir une nouvelle fille là-dessous.

Isa non plus ne répond pas. Elle m'envoie un texto pour dire qu'elle va à son cours de yoga.

Nul !

Mon iPhone sonne.

Je me jette dessus comme un chien affamé sur ses croquettes.

Zuuuut.

C'est ma mère.

J'ai compté : elle m'a appelée quarante-deux fois, aujourd'hui. Quarante-deux. Je me suis juré de ne plus répondre. Mais la solitude l'emporte.

– Allo, maman.

– Émilie, c'est ta mère.

– Je sais, maman.

– Ah bon ?

Soupir.

Vite, aligner la conversation sur autre chose que...

– Je viens de parler à ton frère.

Trop tard.

Résignée, j'écoute.

– Il ne veut vraiment, mais vraiment rien entendre. J'ai tout essayé. Ce n'est clairement plus de mon ressort.

Alléluia ! Enfin, on pourra passer à autre chose. Je suis déçue moi aussi de ne pas pouvoir assister au mariage de mon frère (ma robe... ma pauvre robe), mais on n'y peut rien. Lucia et lui se marient seuls sur la plage, qu'on le veuille ou non.

– Tu as raison, maman. C'est sa vie, c'est à lui de faire ses choix.

– Quoi ? Il n'en est pas question. Non, il est temps que je confie le problème à une autorité supérieure.

– Une autorité supérieure? Tu penses vraiment que papa y changera quelque chose?

Ma mère est morte de rire. Je vous jure, elle s'en étouffe presque. Je suis à un cheveu de raccrocher et d'appeler Info Santé.

– Ton père? Elle est bonne, celle-là.

– À qui confies-tu le problème, alors?

– Au père Lanthier.

Le père Lanthier? Ça me dit vaguement quelque chose…

J'y suis! C'est le curé du village près de la maison de campagne de mes parents.

Mais que vient-il faire dans cette histoire?

– Maman, que vient faire le père Lanthier dans cette histoire?

– C'est le guide spirituel de notre famille.

C'est à mon tour de manquer de m'étouffer.

– Le guide spirituel? Voyons, maman!

– C'est lui qui nous a mariés, ton père et moi. Et qui vous a baptisés, ton frère et toi.

– Ben oui, et depuis on l'a vu une fois par année, à la messe de minuit.

– La dévotion, ça ne se pratique pas seulement à l'église, tu sauras. Ça se vit dans son cœur.

Ça, c'est la meilleure. Ma mère, dévote!

– Je vais l'emmener parler à ton frère. Lui expliquer que le mariage, c'est une institution sacrée, et que ça se célèbre dans sa communauté.

Je me retiens de rire. Je ne pense pas que le père Lanthier aura une bien grosse influence sur les décisions de Jack. Mon frère a toujours mené sa vie comme il l'entendait.

– Maman, laisse tomber le père Lanthier. Je vais parler à Jack.

– Je te donne trente minutes, dit ma mère. Puis j'appelle le presbytère.

Elle raccroche.

Soupir.

J'appelle mon frère. Qui répond.

Il est fort.

Depuis ce matin, que ma mère l'appelle (sûrement plus que quarante-deux fois). Que je l'appelle, en ma qualité de médiatrice officielle de la famille.

Chaque fois, il assume sa décision, et il répond.

Par contre, Lucia a fermé son téléphone cellulaire, elle. Je la comprends. Je n'aurais pas envie de me taper le clan Jacquard non plus, à sa place.

– Salut, sœurette, dit mon frère, patiemment, pour la quinzième fois aujourd'hui.

– Maman va appeler le curé.

– OK.

– Bonne soirée.

– Bye.

C'est ce qu'il y a de bien, avec mon frère. On se comprend.

Parlant de comprendre, où est Charles ? Je n'ai pas encore réussi à lui raconter l'incident diplomatique majeur qui secoue ma famille. Ce n'est pas le genre de truc qui se raconte par texto.

J'essaie de nouveau.

Boîte vocale.

Florence

11 février, 21 h 03

Ha! J'ai trouvé. Heureusement que tante Madeleine était chez elle. Elle m'a recommandé le meilleur film, pour commencer : *Pretty Woman*. Hyper archaïque, mais il paraît que toutes les madames de l'âge d'Émilie adorent. Et puis tante Madeleine dit que mon père ressemble un peu à l'acteur principal. Bof, peut-être, mais les vieux, ils se ressemblent tous.

Ce qu'il y a de bien, avec les anciens films, c'est qu'ils ne coûtent vraiment pas cher à télécharger. L'histoire n'était pas trop mal. J'ai réussi à assembler un collier pendant les bouts plates (le polo, le souper d'affaires, *snooze!*). Et puis, ça me donne un peu de contexte historique pour mon cours de cinéma. La mode de l'époque n'était pas trop mal. La petite robe noire était à peu près convenable. Et j'ai bien aimé les gros bijoux. Par contre, heureusement que les mœurs sociales ont changé. Quelle gang de pas déniaisées! Des prostituées qui n'embrassent même pas leurs clients sur la bouche. Franchement.

Charles

11 février, 21 h 04

Je me demande à quoi sa tante a pensé. Un peu adulte pour elle, ce film, non? Ces histoires de prostituées... Je ne l'avais pas vu à l'époque. Mon ex Marie-Ève et sa sœur Madeleine s'enfilaient le DVD à toutes leurs soirées de filles et me chassaient chaque fois du salon, brandissant leur bouteille de bulles comme une arme.

Enfin, soyons bon élève, pour faire plaisir à Florence. Je suis cartésien, il s'agit de tirer des conclusions logiques. En écoutant ce film, somme toute assez rigolo (bien aimé le coup de poing qu'il a balancé au visage de son avocat), j'ai appris pas mal de choses. Je sais! Je vais commencer à tenir un registre des gestes romantiques dans ces films. L'un d'eux m'inspirera sûrement.

Gestes romantiques:

1. Payer une prostituée pour une semaine plutôt qu'une nuit (pas trop applicable avec Émilie).

2. Payer une toute nouvelle garde-robe à sa conquête. (Ouais. Je pourrais bien, mais... Émilie risque de croire que je trouve qu'elle s'habille mal, non? Alors que c'est tout le contraire.)

3. La quitter, puis revenir dans une limousine, un bouquet de fleurs sortant par le toit, et grimper la façade pour aller la rejoindre. (Re-ouais. Faire croire à Émilie que je la quitte, tout ça pour mettre en scène un grand retour, ça me semble assez risqué. Elle pourrait ne pas me pardonner. Par contre, ça demeure le geste le plus réalisable de tout le film. À garder en tête.)

Pourquoi est-ce obligé d'être si compliqué? Je l'aime, ça devrait suffire, non?

Ah zut, Émilie a essayé de m'appeler. Il est trop tard pour la rappeler, elle doit dormir. Elle se couche tôt, la semaine, à cause de l'horaire de son émission. Je vais lui envoyer un courriel, qu'elle lira à son réveil. (Quand moi, je dormirai. Nous n'avons vraiment pas le même horaire.)

Émilie

11 février, 21 h 05

Charles m'a enfin contactée.

Par courriel!

Qui répond à un message vocal par un courriel?

Quelqu'un qui ne veut pas vous parler. Et il prétend avoir passé la soirée à écouter un film avec sa fille et n'avoir pas entendu mon appel!

Pfft!

Comme si ça se pouvait. Chaque fois qu'elle lui fait écouter un truc, sa fille, c'est un film nul d'ados et il passe la soirée scotché à son Black-Berry tout en faisant semblant d'écouter.

Il y a anguille sous roche...

En fin de compte, je crois que je vais lui donner un livre pour la Saint-Valentin et notre premier anniversaire de couple. Le cadeau le plus plate du monde. Ça lui apprendra!

– Jeudi 12 février –

le jour se lève
et j'en crève
de rester sans toi

Seb

12 février, 6 h 45

Je suis vraiment, mais vraiment con.

Me suis encore réveillé dans le lit d'Isa.

Je n'apprendrai jamais ma leçon.

Elle me dit qu'elle n'a toujours rien dit à Émilie, mais... la vérité finira bien par sortir un jour.

Et ce jour-là... je risque de la perdre. (Émilie, bien sûr.)

Suis vraiment trop con.

Isa

12 février, 6 h 45

Je suis vraiment, mais vraiment conne.

Me suis encore réveillée avec Seb.

On s'était promis, après le jour de l'An, que ça n'arriverait plus jamais.

Et ça doit bien faire... dix fois ? Vingt ?

Argh, si je ne me souviens même pas du nombre de fois, c'est que j'ai vraiment dépassé les limites de l'acceptable.

Une erreur d'un soir, c'est compréhensible. Une erreur de vingt soirs, un peu moins.

Faut vraiment que je me discipline.

Émilie

12 février, 6 h 50

J'ai reçu le texto le plus mignon du monde, de la part de Charles, ce matin. Je lui en ai voulu pour rien, hier soir. Il a bien le droit de passer du temps avec sa fille. L'opération meilleur-cadeau-du-monde est donc de retour. Et j'ai trouvé !

Un saut en parachute en tandem.

Impeccable.

Nous deux, dans le ciel, flottant comme des oiseaux...

J'imprime la confirmation, le sourire aux lèvres. Ça, ça commence bien ma journée !

7 h 12

Zut. Je viens de parler à Isa. Elle en a fait souvent, elle, du parachute en tandem. Et il paraît qu'on ne sera pas ensemble, dans le ciel... mais plutôt chacun attaché à un instructeur. Il paraît qu'on sautera de l'avion à quelques minutes d'intervalle, et qu'on ne se retrouvera qu'une fois sur le sol.

Ça ne marche pas, ça! L'idée, c'est d'être ensemble dans le ciel, de vivre ce moment d'émotion à deux, pas de le partager chacun avec un instructeur (qui risque d'être beau, si j'en crois Isa). J'imagine encore moins Charles *strappé* à un bellâtre comme un bébé dans un Baby Bjorn. Ça ne fait pas très masculin. Zut de zut!

Dès neuf heures, j'appelle le centre de parachutisme. Ils ne font pas de remboursement. J'essaie de plaider que c'est de la fausse représentation, cette histoire de saut en tandem, mais rien à faire. Tant pis. J'irai avec Isa cet été. Peut-être même que je lui donnerai les deux sauts, tiens.

Retour à la case départ.

Isa

12 février, 10 h 40

Je suis dans la lune pendant que monsieur Gingras me raconte sa dernière attaque de panique.

Pas très professionnel de ma part.

Mais j'attends un appel. Celui du réalisateur de *Jennifer et Tristan*, qui m'indiquera si j'ai obtenu une deuxième entrevue.

Mon téléphone vibre.

Je me jette dessus comme un caniche sur son jouet de plastique qui couine.

Je regarde subrepticement l'écran pendant que monsieur Gingras décrit ses palpitations cardiaques.

Ce n'est qu'Émilie, qui m'écrit un texto pour me rappeler mon rendez-vous avec le collègue de Charles, ce soir.

Zut, mon ingénieur ! Je l'avais oublié, celui-là.

Un rendez-vous ce soir. Quelle bonne nouvelle.

Ça prouve que ce qui est arrivé avec Seb hier n'est qu'un accident de parcours. Je cherche un mec sérieux, avec un boulot sérieux et des intentions sérieuses, et je vais en rencontrer un ce soir même.

Qui sait, peut-être ai-je rendez-vous avec le père de mes futurs enfants !

Bon, il s'appelle Armand, mais personne n'est parfait.

Christophe passe la tête par l'embrasure de la porte. Il n'a jamais, au grand jamais interrompu l'une de mes séances avec un client. L'heure doit être grave.

– Pardonnez-moi de vous interrompre, monsieur Gingras, puis-je parler à Isabelle un instant ?

Mon client opine, confus. Je suis Christophe dans le corridor. Celui-ci me sourit comme un chat devant un pot de crème où flotterait une souris. À peine s'il ne se lèche pas les babines.

– La domination de notre cabinet continue ! dit-il. Vous êtes rappelées toutes les deux en seconde entrevue aujourd'hui. Zoé et toi ! Vous êtes les deux finalistes.

Youpi.

Le manque d'enthousiasme est voulu.

Une seconde entrevue, soit, j'en rêvais. Mais moi contre Zoé? Si je l'emporte, j'aurai à côtoyer une collègue déçue et aigrie tous les jours. Et si je perds... Eh bien, je serai la collègue déçue et aigrie qui se fait mettre tous les jours en pleine face son échec.

Aucune de ces combinaisons n'est gagnante.

Ma consultation terminée, je me dirige vers le studio en taxi avec Zoé. Elle porte des lunettes fumées opaques et regarde par la fenêtre, ne m'adressant pas la parole. Une recherchiste nous accueille et nous conduit toutes les deux au maquillage. Waouh. C'est le traitement VIP, aujourd'hui.

Zoé et moi sommes assises l'une à côté de l'autre devant un grand miroir, pendant que nos maquilleuses s'affairent. Nous portons toutes les deux des couleurs vives, cette fois. Moi, en rouge, comme Émilie me l'avait recommandé, et Zoé, en bleu royal. Ha! Je ne me ferai plus avoir aussi facilement.

Pour cette deuxième audition, on nous sépare. Zoé est au salon avec Jennifer et moi, à la cuisine avec Tristan. Le réalisateur nous explique le déroulement.

– Nous allons filmer deux chroniques l'une après l'autre. Nous aimons vos deux styles distincts et voulons vraiment qu'ils ressortent. Zoé, sérieuse et impassible, Isabelle, passionnée et volubile.

Non.

Non, non, non.

Suis-je prise à jouer la Émilie jusqu'à la fin des temps ?

Hier, j'ai paniqué. J'ai fait la première chose qui me soit passée par la tête.

Je pourrais peut-être leur dire que ...

Non, Isa. Tu te tais et tu tapes des mains, avec le sourire. Ils ont déjà une psychologue sérieuse, ils n'en ont pas besoin de deux.

Mer-de.

Je plaque donc un énorme sourire sur mon visage et je prends place en face de Tristan.

– Tu vas voir, ça va bien aller, me chuchote-t-il, complice, pendant qu'une assistante ajuste mon micro.

Il est si gentil. Quelle chance d'être tombée sur lui et non sur Jennifer !

– Merci, dis-je. Je suis un peu nerveuse.

– Ne t'inquiète pas. Tristan prendra les choses en main.

Je me retiens de pouffer de rire. Jamais été capable d'entendre quelqu'un parler de soi à la troisième personne.

– Avec Tristan, tout ira bien! continue-t-il.

Heureusement que je suis censée jouer la fille perpétuellement de bonne humeur. Ça explique la crispation de mes joues et le tressautement de mes épaules.

Puis il fait quelque chose qui me fait un peu moins rire. Il pose la main sur ma cuisse dans un geste qui se veut rassurant, mais qui fait hérisser mes cheveux sur ma nuque.

Avant que j'aie le temps d'analyser le geste, ma chronique commence.

Je pète le feu.

Vive, enthousiaste, je joue la Émilie à la puissance dix et si j'en juge par le regard admiratif et les hochements de tête de Tristan, ça marche.

Dès que j'ai terminé, je m'enfuis aux toilettes, n'ayant pas la force d'écouter Zoé être aussi bonne ou encore meilleure que moi.

Mon Dieu, comment font les actrices qui passent des auditions toutes les semaines? Le stress va me tuer.

En retournant vers le studio, je croise Tristan.

– Tu étais très bonne, me dit-il.

En s'approchant un peu trop près.

Il y a des gens, comme ça, qui ont la manie du «parler-collé». J'ai toujours envie de leur servir la leçon de Patrick Swayze dans *Dirty Dancing*: «Ceci est mon espace, ceci est ton espace.» En d'autres mots: si je sens ton haleine, tu es trop proche.

Je n'arrive pas à discerner si la proximité de Tristan relève de cette malheureuse habitude, ou si elle est à classer au même dossier dérangeant que la main sur la cuisse de tout à l'heure. Je décide de lui accorder le bénéfice du doute. (Sincèrement, quel autre choix ai-je? Je ne vais quand même pas crier «Au secours!» dans les couloirs du studio.)

– Tu as du talent, Isabelle, continue-t-il. Il me fera plaisir de te conseiller si tu en as besoin. On pourrait aller prendre un verre, ce soir, si tu veux, pour en parler.

Yark. Un verre. Ça y est, il flirte, c'est confirmé! Il a l'âge d'être mon père.

Vite, Isabelle, une excuse.

– Ah, euh, j'ai un rendez-vous, ce soir.

En plus, ç'a l'avantage d'être vrai.

– Une autre fois, alors. As-tu ton téléphone?

– Euh, oui, dis-je.

144

– Passe-le-moi. Je vais y inscrire mon numéro et tu pourras m'appeler si tu as besoin de conseils.

Hypnotisée, je lui passe mon téléphone. Il pitonne un moment, de toute évidence ajoutant un contact, puis il appuie sur un bouton et j'entends un téléphone qui sonne dans sa poche.

– Voilà, dit-il, maintenant j'ai ton numéro aussi.

Isabelle Boisvert, tu t'es encore fait avoir comme une débutante.

– Euh, merci, ha ha, bonne journée!

Je m'esquive avec maladresse.

Dans le taxi qui nous ramène vers le bureau, Zoé a un petit sourire en coin qui m'ÉNERVE.

Charles

12 février, 19 h 12

La deuxième sélection de Florence n'est pas trop mal. *Love Actually*. Ça regorge de gestes romantiques, là-dedans. Mettons à jour le registre.

Gestes romantiques :

1. Se présenter en secret chez son meilleur ami. Faire une déclaration d'amour muette à sa femme à l'aide de cartons où est inscrit un message. (Mon ami Paul me foutrait son poing à la figure et je ne vois pas en quoi ça m'aiderait avec Émilie.)

2. Courir dans un aéroport comme un fou pour attraper la fille qu'on aime avant que son avion décolle. (Un grand classique. Mais Émilie ne part pas en voyage et elle ne déménage pas dans une autre ville.)

3. Embrasser une femme dans les coulisses d'un spectacle d'école; se faire surprendre quand les rideaux tombent. (Ça, c'est peut-être *cute* quand c'est le premier ministre à qui ça arrive; si c'était n'importe qui d'autre, l'école appellerait la police.)

4. Apprendre une langue étrangère pour pouvoir communiquer avec celle qu'on aime. (D'accord, mais Émilie ne parle que français; elle baragouine à peine l'anglais.)

5. Envoyer promener publiquement le président des États-Unis parce qu'il a dragué la même femme que vous. (Je le ferais avec plaisir, mais un, j'aime bien Obama et deux, on ne le croise pas très souvent, Émilie et moi.)

Je vois de moins en moins en quoi ça m'aide, cette cure de films romantiques. Mais ça ne peut pas nuire... Et puis, ça fait plaisir à Florence.

Isa

12 février, 19 h 53

Je suis assise au bar de l'hôtel Saint-Paul, en robe rouge, attendant le collègue de Charles.

Je déteste être en avance. J'ai toujours de la difficulté à me donner une contenance pendant que j'attends. Cette fois-ci, je prends le journal, et je prétends me passionner pour la section Monde que j'ai malheureusement ramassée.

Je commande une eau minérale, préférant ne pas boire avant d'avoir rencontré le fameux collègue. Qui sait, peut-être devrai-je prétexter une migraine et m'éclipser rapidement.

Quelle attitude défaitiste, Isa. Ce matin, c'était le père de tes futurs enfants, et maintenant il ne mérite même pas quelques heures de ta présence ?

Un homme sérieux, a dit Émilie. Qui cherche une relation sérieuse.

Je prends une gorgée d'eau et j'observe discrètement les nouveaux arrivants, me cachant derrière mon journal dès que je vois un homme entrer.

Waouh, celui-ci est plutôt beau. Assez pour que j'abaisse mon journal. Si c'est lui, le collègue, j'ai décroché le gros lot.

Manque de bol, il semble être accompagné d'une femme. De deux femmes, même. Un instant. Cette femme qui lui prend le bras, on dirait Jennifer Langlois. Et cette femme qui les suit, obséquieuse comme une geisha japonaise, ressemble dangereusement à...

Ce n'est pas possible! C'est Zoé! Ici avec Jennifer Langlois et son mari!

Je me cache à toute vitesse derrière mon journal, déterminée à ne plus en sortir. Tant pis pour le collègue.

Mais que peuvent-ils bien faire ici, tous ensemble? Jennifer a-t-elle offert de donner des conseils à Zoé, comme Tristan l'a fait avec moi? De toute évidence, Zoé n'a pas été assez idiote pour refuser.

Zut! Moi qui me suis inventé des histoires à dormir debout. Tristan McNally est célèbre, il fréquente les plus belles femmes du milieu de la télévision, il ne s'intéresse sûrement pas à moi de cette façon-là.

Zut de zut. Si j'avais eu une approche plus stratégique, je serais moi-même en train de prendre un verre avec Tristan en ce moment.

Au lieu de perdre du terrain et de regarder ma rivale en gagner.

Mon ami Sun Tzu ne serait pas fier de moi.

– Isabelle ?

Je sursaute. J'abaisse mon journal. Et je découvre un homme... bien. Le front un tantinet dégarni, le ventre un tantinet rebondi, la main un tantinet poilue.

Un homme normal de quarante ans, quoi.

Un homme sérieux. Qui veut une relation sérieuse.

– Armand ?

Il prend place devant moi. Me sourit. Il semble... bien. Il est poli. Me consulte avant de commander une bouteille de vin. Me demande de lui raconter ma journée. Partage quelques anecdotes amusantes.

Bref, impeccable.

Du coin de l'œil, j'aperçois Zoé, Jennifer et son mari qui quittent le bar après avoir pris un verre. Ouf ! Je peux enfin respirer. Armand devait se demander pourquoi je lui parlais avec ma main dans le visage pour dissimuler mon profil.

Je tente de me concentrer sur la conversation (« ha ha, oui, c'est vrai que c'est impossible d'attraper un taxi quand il neige »), mais je ne pense qu'à cette satanée Zoé. Quel tour a-t-elle dans son sac ?

Immanquablement, Armand s'en aperçoit.

– Ça va, Isabelle ? Tu sembles préoccupée.

Suis-je préoccupée ? Oui. Ai-je envie de me confier à ce quasi-inconnu ? Non.

– Désolée, grosse journée au travail.

– Je sais ce que c'est.

Et le voilà reparti. En toute honnêteté, il est gentil. Intéressant. Sérieux.

Mais... pas drôle comme Seb. Pas beau comme Seb. Pas excitant comme Seb.

Isabelle Boisvert ! Il faut que tu te parles dans le casque.

De quoi as-tu besoin, dans la vie ? De rire, de beauté et d'excitation ? Ou de gentillesse, d'honnêteté et de sérieux ?

Avec qui pourras-tu bâtir ton avenir ?

Je sais qu'avec Seb, ce n'est pas fait pour durer. Ça n'aurait même jamais dû durer autant ! Il est beau, oui. Moins cave qu'avant, soit. Mais il est volage et incapable d'avoir une relation sérieuse. Je pense qu'il n'a même jamais dit à une fille qu'il l'aime !

Ça y est, c'est décidé, j'en fais la promesse solennelle, c'est f-i-n-i avec lui. Il ne fait que me distraire des Armand de ce monde.

Je souris au gentil collègue. Je mettrai le paquet, c'est promis.

– Vendredi 13 février –

*je t'aimais, je t'aime
et je t'aimerai*

Émilie

13 février, 7 h 12

Une autre soirée sans Charles, hier. Pas sans ma mère, malheureusement, qui est venue s'épandre chez moi. Je n'en peux plus.

Mon téléphone sonne. C'est Seb.

– Hé! Mon ami Houdini!

– Pourquoi dis-tu ça? demande-t-il, insulté.

– Tu as disparu, récemment. Allez, avoue, comment s'appelle-t-elle?

Silence au bout du fil.

– Seb!

– Quoi?

Bip.

– Attends, dis-je, c'est Isa sur l'autre ligne.

J'appuie sur le bouton.

– Allo, Isa? Je peux te rappeler? Je parle à Seb. Je le *quizze* sur sa nouvelle blonde.

– Seb a une nouvelle blonde?

Aïe. Quelle voix aiguë. Elle m'a crevé le tympan.

– Il nie, mais j'en suis sûre. Et toi? Le beau Armand?

157

– Très bien. On doit se revoir ce week-end.

– Ouh, c'est la Saint-Valentin. Très romantique.

– Mais non, simplement parce que c'est le week-end. Ce n'est pas tout le monde qui se soucie de la Saint-Valentin autant que toi, tu sais.

– Na, na, na. Ce sera romantique quand même. Je te rappelle, OK ? Bye !

De retour à Seb.

– C'était Isa. Elle voulait me parler de son nouveau mec.

– Isa ? Un nouveau mec ? Qui ?

Coudonc, lui aussi ! Mon deuxième tympan percé.

– Un collègue de Charles, ils se sont rencontrés hier soir. Seb, je te rappelle plus tard, OK ? Je suis au travail.

– Attends ! Je peux passer te voir demain matin ?

– OK, Charles sera avec ses enfants.

– Et on sait combien ses enfants comptent pour lui, dit Seb d'un ton sombre.

– Ça veut dire quoi, ça ?

– Émilie, vous êtes ensemble depuis combien de temps ?

– Un an demain.

– À notre âge, soit les couples emménagent ensemble tout de suite, soit ça ne marchera pas.

– Depuis quand es-tu un spécialiste des relations de couple, toi?

– Je suis un spécialiste de mon amie Émilie. Et je sais que cette relation ne t'apporte pas tout ce que tu veux. Tu attendras combien de temps, pour que sa fille se décide? Deux ans? Dix ans?

Le problème, avec Seb, c'est qu'il me connaît trop bien. J'ai beau m'être juré de ne plus le laisser influencer mes décisions, je dois admettre que je me suis souvent dit exactement la même chose.

Combien de temps devrai-je attendre, avant que Florence et son frère soient prêts? Et prêts à quoi, au juste? Ils m'aiment bien, je le sais (OK, Florence me tolère, mais c'est du pareil au même, pour une ado). Peut-être est-ce Charles qui ne se sent pas prêt? Peut-être la blessure causée par son divorce est-elle encore trop vive?

Ah, ce foutu Seb. Chaque fois que je lui parle, il me met des idées de révolte en tête.

Isa

13 février, 13 h 15

J'ai reçu un texto d'Armand.

Gentil.

Il me donne rendez-vous dimanche, pour le brunch.

Le brunch.

Soyons honnête. J'adore bruncher. Avec ma mère et mes tantes. Ou avec mes amies.

Mais avec un gars? Ça ne m'est jamais arrivé.

(Précision: passer la nuit avec un mec et émerger du lit en fin de matinée, se traîner jusqu'au resto du coin pour s'y jeter sur un œuf-bacon, oui. Se donner un rendez-vous propret dans un bistro à 11 h le dimanche, jamais.)

Faut croire que j'en suis rendue là.

OK, d'abord. Brunchons.

Je finis de répondre en me rendant au bureau de Christophe. Je n'ai pas eu de nouvelles de la chronique télé, et je n'en peux plus d'attendre. Ce stress me tue. Je suis à la veille de me prosterner aux pieds de Zoé et d'abdiquer publiquement. Ce n'est peut-être pas pour moi, après tout, la guerre.

En m'approchant du bureau de Christophe, j'entends des éclats de voix pas possibles. Il y a une femme, là-dedans, qui pleure. Christophe qui tonne.

La porte s'ouvre soudainement, et je fais semblant de me pencher sur mon iPhone, l'air innocent. Zoé sort du bureau, en larmes, me jette un regard méchant et se sauve vers les toilettes. Christophe me voit passer et hurle :

– Isabelle ! Tu as la chronique ! Ils t'attendent, au studio !

Mystère et boule de gomme.

Qu'a-t-il bien pu se passer ?

Je suis si curieuse que j'ai à peine le temps d'être soulagée.

J'ai gagné ! C'est moi qui ai la chronique !

Mais pourquoi ? Comment ? Qu'est-il arrivé à Zoé ?

La Sherlock Holmes en moi ne me laisse pas célébrer.

Hum...

Je passe à pas de loup devant le bureau de Zoé. Personne.

Elle doit encore être aux toilettes. Je ne peux quand même pas la traquer jusque-là. Il y a des limites. Et puis, Christophe sort la tête de son bureau et me demande ce que je fous encore là, l'air mauvais.

Il est temps de sauter dans un taxi. Direction, la station !

J'envoie texto sur texto. À Émilie, à ma mère, à Armand, même à Seb, tiens ! Le monde entier est mis au courant de mon grand succès. Ha !

Si seulement texter en voiture ne me donnait pas si mal au cœur. Je suis verdâtre quand j'arrive.

J'espère qu'ils ne me feront pas passer en ondes tout de suite. Ciel, à quoi ai-je pensé ? Je n'ai même pas préparé de sujet de chronique. Et j'ai fait un petit effort vestimentaire, ce matin, au cas où, mais je n'ai toujours pas eu le temps d'aller magasiner. Je me demande s'ils m'offriront une styliste, comme Jennifer Langlois ? Ou peut-être une allocation saisonnière. Oui, c'est fort possible.

Une recherchiste m'accueille, et je me rends compte que je me suis (encore) monté toute une histoire. L'équipe n'est même pas en studio, aujourd'hui (l'émission fait relâche le vendredi.) Je suis simplement ici pour signer mon contrat et faire la visite des lieux.

Je suis la recherchiste, la tête dans les nuages, écoutant à peine ses consignes («C'est ici que tu peux ranger ton sac.» «N'oublie pas d'éteindre ton cellulaire en entrant en studio.») À un moment, elle reçoit un appel urgent et me plante là, en plein corridor, me demandant de l'attendre.

Je n'ose pas trop m'aventurer, mais des bruits de voix m'attirent vers une porte entrouverte. C'est la loge des maquilleuses. Je les surprends toutes les deux qui jacassent à voix basse.

Mon radar-potins se met tout de suite à sonner. Je me dis que c'est normal, on est dans une station de télé. Ça doit regorger de potins. Je sens que je vais me plaire, ici.

Les deux maquilleuses s'arrêtent de parler dès que j'entre. Ça, c'est louche. Ledit potin pourrait-il me concerner?

Je décide d'investiguer.

Je sors mes meilleures armes de thérapeute et je mets à profit mon expérience de grande professionnelle des soirées de filles.

J'entre dans la loge et je leur fais la bise, à toutes les deux. Je leur demande ce qu'elles ont prévu faire ce week-end. Je pose question sur question, écoutant leurs histoires, la mine captivée. Je compatis, j'analyse, je rassure. Puis, je leur assène le coup de grâce : je leur révèle un détail intime de ma vie personnelle (en l'occurrence le fait que j'ai couché en cachette avec l'ex/meilleur ami de ma meilleure amie – je ne leur dis quand même pas que c'était plus d'une fois, je veux leur sembler sympathique mais pas folle).

Les voilà qui gloussent de rire, dissèquent mes choix et ma vie personnelle (elles aussi trouvent qu'Armand, c'est un nom à coucher dehors, mais qu'à notre âge il faut choisir un gars sérieux).

Les maquilleuses sont devenues mes nouvelles meilleures amies.

On est en *business*.

Je leur confie mon bonheur d'avoir été retenue pour la chronique, puis, toujours avec le sourire, l'air de rien, comme ça, je leur demande si elles savent pourquoi j'ai été choisie.

Elles se regardent, hésitantes, mais comme je m'y attendais, l'une des deux craque tout de suite.

– Oh et puis tant pis ! Tu l'apprendras bien assez vite.

Ça promet.

– C'est Jennifer Langlois, qui a banni Zoé à vie du plateau de tournage.

– Bannie à vie ? Mais pourquoi ?

Ça me semble un peu extrême, comme mesure.

– Tu connais le mari de Jennifer ?

– Moi ? Non.

Je ne vais quand même pas avouer que je l'ai vu la veille. Ce serait louche.

– C'est un véritable chat de gouttière. Toutes les filles, ici, ont appris à se méfier. On se tient loin de lui.

Ouf ! Heureusement que je n'ai rien dit.

– Ta Zoé, elle a joué avec le feu. Elle est sortie prendre un verre, hier soir, avec Jennifer et son mari, puis ils sont sortis souper. À un moment donné, Zoé s'est levée pour aller aux toilettes. Quand elle est ressortie, le mari l'a accostée dans le corridor pour lui faire du charme. Jennifer est apparue à ce moment-là et a piqué une crise légendaire.

Ha !

Trop drôle. Trop, trop drôle.

La recherchiste me trouve à ce moment-là et interrompt notre séance de potinage des plus fructueuses. Je me promets de reprendre le fil dès lundi.

Car lundi, je serai à la té-lé-vi-sion ! Youpilaye !

J'ai gagné, lalalèreu !

Bon. Ce n'est peut-être pas très élégant de gagner parce que notre adversaire s'est fait piéger par un casanova vieillissant. (J'avoue que *L'art de la guerre* ne prévoyait pas cette situation précise.)

Mais en fin de compte, la preuve en est faite… L'art de la guerre, c'est de soumettre l'ennemi sans combat.

Ha !

J'appelle Émilie. Ce soir, on fête.

Émilie

13 février, 18 h 40

Aïe.

J'ai un peu trop bu. Comme d'habitude, avec Isa, le 5 à 7 est assassin. Il faut que je me sauve, sinon elle est capable de nous faire fêter jusqu'à 3 h du matin. C'est bien beau, célébrer sa chronique, mais j'ai une Saint-Valentin à préparer, moi.

Pendant qu'Isa nous commande à boire, j'appelle Charles. Je l'ai à peine vu, cette semaine.

Il répond tout de suite.

– Allo, mon chéri !

Ça doit être le *prosecco*. Je roucoule.

– Tu passes chez moi ce soir ?

– J'ai les enfants.

J'avais oublié.

– Je passe chez toi, alors ?

– Euh… dit-il, hésitant. C'est que… j'avais prévu quelque chose avec Florence.

Ah.

Je me sens comme une grosse balloune qui se dégonfle.

– Mais on se voit demain soir, mon amour!

Je raccroche, un peu à plat.

Puis je me ressaisis.

Il ne me trompe pas, quand même. Il passe du temps avec ses enfants.

Ce qui fait de lui un bon père. Et donc, une bonne personne. Et un bon futur père pour mes peut-être futurs enfants (je ne lui en parle pas; il faudrait commencer par habiter ensemble, d'abord).

OK. Charles est pardonné.

Et puis, j'ai toujours ce problème du cadeau à résoudre. On est vendredi, les magasins sont ouverts tard.

Il me reste dangereusement peu de temps.

Un cadeau, un cadeau... Merdouille, je ne pense à rien.

Que faire, que faire, que faire?

Je le sais!

La réponse était tellement évidente.

C'est mon père qui m'a appris ça, quand j'avais six ans. Tous les ans, à sa fête: «Papa, qu'est-ce que tu veux comme cadeau?» «Je veux que tu me fasses une belle carte.» «Mais c'est plate, une carte! Tu ne veux pas un vrai cadeau?» «Le plus beau cadeau du monde, c'est le temps et l'amour que tu mettras pour préparer une carte toute seule.»

Bingo!

Meuh non, je ne vais pas faire une carte à Charles. Ne prenez pas tout au pied de la lettre.

Mais je vais lui faire son cadeau. Avec tout mon temps et tout mon amour.

Bon, l'amour, ça va, mais le temps... C'est pour demain, ce cadeau-là.

Que puis-je faire à Charles d'ici demain?

Un chandail?

Quelle bonne idée. Un beau pull chaud, réconfortant, qu'il portera au coin du feu.

Ouin. J'ai bien appris à tricoter, en cours d'économie familiale, mais c'est loin. Isa pourrait peut-être m'aider? C'est une pro du tricot. Elle se fait des pulls mode, on jurerait qu'elle les a achetés dans une boutique ultra chère.

Mais même Isa, malgré tout son talent, ne pourrait tricoter un chandail en moins de vingt-quatre heures.

Un foulard, peut-être?

Tiens, c'est jouable, ça.

Je cherche Isa du regard dans le bar bondé.

Mais non, Émilie…

L'idée, c'est que toi tu fasses quelque chose pour Charles. Si c'est Isa qui tricote, tu pourrais aussi bien acheter le foulard au magasin.

Ouin.

Réfléchis, Émilie, réfléchis.

Qu'as-tu déjà fait de tes mains ?

Une tourtière, Noël passé…

Pas trop rapport, pour la Saint-Valentin.

Quoi d'autre, quoi d'autre…

Il doit bien y avoir quelque chose. Je ne suis pas la plus manuelle des filles, mais quand même…

Ah, ha ! Je l'ai.

Pour l'anniversaire de Macha au travail, ses amies nous ont emmenées au café céramique.

Bon, mon assiette n'était pas très jolie, et personne n'a reconnu ma girafe, même que la coloc de Macha (une peste) a trouvé que ça ressemblait davantage à l'organe masculin.

Mais cette fois-ci, je ferai un effort. J'y mettrai tout mon temps (et tout mon amour), et je produirai un chef-d'œuvre !

Ce soir, je suis un peu pompette. Mais demain matin, première heure, le café céramique. Ouais !

Charles

13 février, 21 h 15

Sélection du soir : *P.S. I Love You*, avec Hilary Swank. Je me demande bien ce que j'étais censé apprendre de ce film. Quand même, soyons bon élève, et mettons le registre à jour.

Gestes romantiques :

1. Être un chanteur rock irlandais et mourir.

2. Envoyer des lettres d'amour à sa femme après sa mort.

3. C'est à peu près ça.

C'est bien beau, vouloir être romantique, mais il y a quand même des limites. Je ne vais tout de même pas me faire harakiri pour ça.

Quoique... je devrai bien trouver quelque chose. C'est le week-end, demain. Ça veut dire que le gros cave national (alias Seb) s'apprête à frapper un grand coup pour montrer à Émilie combien il l'aime. Je ne sais pas quand, je ne sais pas quoi, et ça me rend FOU.

Soupir.

Je ne peux qu'espérer qu'Émilie me choisira. Et que mon geste romantique le pulvérisera.

Kapow!

chérie, chérie quand
je t'ai rencontrée,
j'ai tout de suite
eu envie de t'aimer

Émilie

14 février, 7 h 04

«Pour souligner la journée des amoureux, voici Nat King Cole et son grand succès, *Unforgettable.*»

Je me redresse d'un coup dans mon lit.

C'est la Saint-Valentin!

Cette année, j'ai un chum.

Et pas n'importe quel chum.

LE chum.

Le vrai de vrai, le der des ders.

Qui m'emmène manger ce soir dans un grand-resto-plein-de-couples-quétaines-et-on-s'en-fout-parce-qu'on-s'aiiiiiime!

Et, en plus, c'est mon anniversaireu! Lalalèreu!

La plus belle journée de ma vie.

Je suis amoureuse (je lui ai à peine parlé depuis trois jours, sa fille refuse que j'emménage avec eux, mais l'amour ne faillit pas pour si peu).

J'ai les meilleurs amis du monde. (Seb a un peu disparu, ces derniers temps, mais il est toujours comme ça, c'est un ami boomerang.)

J'ai un boulot de rêve (et Ludovic-l'homme-honni est à la veille de me laisser le champ libre, yé!).

Vraiment, j'adore mon travail. Hier, j'ai eu les invités les plus inspirants du monde. Ils ont complètement changé ma philosophie de vie.

Pour souligner la Saint-Valentin, je m'étais engagée à trouver des histoires d'amour atypiques. Eh bien, j'ai déniché le couple le plus adorable du monde; ils célébraient leur anniversaire de mariage hier.

Leur soixante-dixième anniversaire de mariage.

Vous avez bien lu.

Ils se sont mariés à vingt et vingt-deux ans, respectivement. Ils en ont quatre-vingt-dix et quatre-vingt-douze aujourd'hui.

Pétants de santé.

Se sont embrassés dans le studio, se sont regardés dans les yeux, ont révélé les secrets d'un mariage réussi: l'écoute et le compromis.

C'était tellement touchant.

Je vous jure, quand je verrai Charles, ce soir, je ne ferai que l'écouter. Et pour les compromis, eh bien, j'accepterai qu'on partage quelques plats. (Sérieusement, y a-t-il manie plus agaçante?

Si j'avais voulu des crevettes au poivre, j'aurais commandé des crevettes au poivre. Qu'il nous laisse tranquilles, mon pad thaï et moi. Mais mis à part ce léger travers, Charles est absolument parfait, alors ce soir, je fermerai les yeux.)

Et puis, je vais préparer le plus beau cadeau du monde, à mon chéri. Café céramique, j'arrive!

Bip!

Un texto de Seb.

« Émilie-jolie, suis chez toi dans dix minutes. »

Zut. Seb voulait venir me voir, ce matin.

« Scuse, Seb, suis partie pour le cadeau de Charles, on se voit demain, OK? »

« Attends-moi, j'arrive! »

Vaut mieux partir avant qu'il débarque. Il rira de moi et ne me laissera jamais aller au café céramique. Il me fera boire du champagne, à la place.

Hum... Tentant.

Non, Émilie, reste sur le droit chemin.

Va dessiner.

Je gare ma voiture devant le café céramique.

Tiens! Ils ouvrent seulement à dix heures.

Zut.

Je m'installe au café d'à côté et je commande un *latte*.

Bip !

Ma mère, cette fois.

Ma mère sait texter. Qui l'eût cru ?

« Mariage-surprise ce soir, à la maison. Amène ton frère et Lucia. »

Quoi ?

Là, vraiment, elle dépasse les bornes de l'acceptable.

Je prends mes clés, je jette cinq dollars sur la table et je me sauve en vitesse. Direction : l'appartement de Jack et Lucia.

Charles

14 février, 10 h 45

Dernier film, que Florence a insisté pour qu'on écoute de bon matin. Un de ses favoris : *The Notebook*.

Toujours pas grand-chose à faire avec celui-ci. Allons-y.

Gestes romantiques :

1. Relire tous les matins son histoire d'amour à sa femme atteinte d'Alzheimer, en espérant qu'elle se souvienne de nous. (OK, si Émilie souffre d'Alzheimer un jour, je veux bien essayer, mais d'ici là ?)

2. Mourir enlacés dans le même lit (encore une fois, j'espère que ce n'est pas demain la veille).

Florence jette un coup d'œil à ma liste. Puis, elle me regarde de cet air condescendant si propre aux ados et me dit : « Toi, vraiment, t'as rien compris, hein ? Il te manque LE geste le plus romantique du film. » (Les majuscules sont d'elle.)

LE geste le plus romantique du film ?

Je ne vois toujours pas. Je pense que je vais aller au gym, m'éclaircir les idées.

Émilie

14 février, 12 h 15

Mon frère est un vrai champion.

Quand je suis arrivée chez lui, je les ai réveillés, Lucia et lui. Tout confus, en caleçon, mon frère s'est préparé un café pendant que je lui expliquais le nouveau plan rocambolesque de ma mère.

Sous prétexte d'organiser un souper-surprise pour mon anniversaire, au chalet, elle va y attirer Jack et Lucia. Quand ils arriveront, ils seront accueillis par le père Lanthier, mes parents et la chorale du village, qui les uniront de gré ou de force. Ou presque.

Mon frère a beau être fort, je ne sais pas comment il résisterait à une telle mise en scène.

C'est très ratoureux, mais même moi, je dois admettre que c'est un plan assez génial. Si ce n'était mon manque de loyauté, ma mère aurait sûrement réussi.

Jack se gratte la tête quelques instants. Puis il soupire, et s'assoit avec son café.

– Émilie, veux-tu bien me dire ce qui lui prend?

Comment expliquer ma mère? Comment? Surtout à l'autre personne qui la connaît aussi bien que moi.

– Elle veut assister à votre mariage, Jack!

– C'est tout? C'est à ça qu'elle tient, pas aux centres de table, à la calèche et à la chorale?

– Je crois que oui.

– Tu es sûre? Sûre et certaine?

– Oui. Maman t'aime. Elle ne peut pas imaginer ne pas être là.

– OK. Attends ici.

Il monte dans son bureau, faisant signe à Lucia de le suivre. Je les entends discuter quelques instants, puis Lucia redescend se préparer un café, l'air mystérieux.

Jack prend sa douche et s'habille. Puis Lucia fait de même.

Toujours sans rien me dire. Je me demande si je suis devenue invisible.

Mon téléphone sonne sans arrêt, ou presque, mais comme c'est soit Seb, soit ma mère, je ne réponds pas.

– Tu viens, sœurette?

Jack nous guide vers sa voiture. Je me sens comme une enfant, assise derrière, avec ce couple silencieux. Ils échangent de temps à autre un regard amoureux, sans plus. Comme ils sont beaux.

Nous arrivons chez mes parents. Jack monte le premier. Quand ma mère le voit, elle s'exclame «Jack! Que fais-tu ici?» en m'adressant un regard assassin. Quand je passe à ses côtés dans le corridor, elle m'agrippe le bras: «Que faites-vous ici? J'ai dit ce soir à la campagne, pas ce matin en ville.» Pour toute réponse, je hausse les épaules.

Nous sommes tous assemblés dans le salon. Jack place son bras autour des épaules de Lucia. Mon père est encore en robe de chambre (il aime faire ses mots croisés en pyjama, le samedi). Ma mère ne sait plus quelle contenance se donner. Je suis impatiente d'entendre ce que Jack a à dire.

En l'occurrence, il ne dit rien. Il sort deux enveloppes de sa poche et nous les remet, à ma mère et à moi.

J'ouvre la mienne.

Deux billets d'avion pour le Belize. Pour Charles et pour moi.

Je regarde ma mère.

Son enveloppe contient la même chose.

Dans un sanglot, elle se jette dans les bras de son fils qu'elle serre très fort. Puis, elle embrasse Lucia comme si c'était sa fille. (En fait, même moi, elle ne m'embrasse jamais comme ça.)

Moi, je suis en état de choc.

Un mariage au Belize!

Sur la plage!

Je pourrai porter ma robe. Qui sera superbe, dans le sable. J'aurai un léger hâle. Je serai pieds nus.

Alléluia!

Florence

14 février, 13 h 20

Quand mon père est revenu du gym, et qu'il m'a fait part de son plan, j'étais comme : Allo ? T'aurais pu y penser avant. C'était tellement évident ! Ils sont vraiment nuls, des fois, les vieux.

Émilie

14 février, 14 h 10

J'arrive au café céramique, en sueur sous mon manteau d'hiver. J'ai dû tourner en rond vingt minutes pour me stationner, et j'ai couru jusqu'ici. Il ne me reste plus beaucoup de temps.

Je choisis une petite assiette (le beurrier est plus beau, mais ça semble difficile à peindre, tous ces racoins.)

Je la tends comme un trophée vers la préposée et lui explique que je suis pressée, car je dois remettre ce cadeau à mon chum ce soir.

Catastrophe. Ca-tas-tro-phe.

J'avais oublié que la foutue céramique met vingt-quatre heures à sécher, une fois qu'on l'a peinte.

Mer-de.

Je n'ai pas de cadeau. Ni fait de mes mains ni autrement.

C'est leur faute à tous, aussi. J'en ai marre. Ma mère, mon frère, Seb, Isa. Même Charles, tiens, qui m'a distraite en disparaissant toute la semaine.

Et là, je n'ai rien. R-I-E-N.

Moi qui avais peur de donner un trop beau cadeau à Charles... De lui faire peur par mon intensité... Là, c'est plutôt mon manque d'intensité qui va lui faire peur. Il me donnera un cadeau sublime, et moi... rien.

Il faut trouver, il faut absolument trouver.

Creuse-toi la tête, Émilie.

Ça y est ! J'appelle le petit frère de Macha et je lui offre le double de ce qu'il m'a payé, pour les billets de U2. Il faut ce qu'il faut.

Non... Je n'y crois pas. Il dit non. Il a promis les billets à sa blonde.

J'ai envie de hurler au téléphone, mais un désespoir profond m'envahit et me fait raccrocher sans même l'insulter.

Je sais que ce n'est pas la fin du monde, un cadeau. Qu'il y a des petits enfants qui meurent de faim en Somalie, des injustices sociales, et de la misère jusque dans ma cour arrière.

Mais les fêtes, c'est symbolique. C'est l'occasion de souligner combien on s'aime, et de renforcer ces liens par des souvenirs partagés. De là mon idée brillante de faire quelque chose de mes mains.

Peut-être est-il encore temps...

Seb

14 février, 15 h 40

Je joue le tout pour le tout. Je débarque chez Émilie, sans prévenir, et je lui déclare mon amour. Il faut que quelque chose change.

J'arrive chez elle. Sa voiture est garée devant la porte. Je monte l'escalier, et je sonne. Mon cœur bat tellement fort qu'il va me sortir de la poitrine. Je me sens tout croche. Ça ne m'est jamais arrivé de ma vie, un truc pareil. Je dois vraiment l'aimer.

Elle arrive. Elle ouvre la porte. Décoiffée, avec un affreux tablier autour de la taille, et de la farine sur le bout du nez. Qu'elle est mignonne.

– Seb! Que fais-tu ici? demande-t-elle d'un air enjoué.

– Émilie... Je dois te parler.

J'enlève ma tuque d'un geste nerveux.

– Ça va? demande-t-elle. T'es tout blanc.

C'est vrai que je ne me sens pas trop bien.

– Viens t'asseoir à la cuisine.

Je la suis dans le corridor. Si je ne plonge pas tout de suite, je n'en aurai pas le courage. Allez, mon homme, t'es capable. Tu as déjà vaincu adversaire plus coriace.

– Émilie, lui dis-je alors qu'elle entre dans la cuisine. Je suis venu te parler de quelque chose de très important. Tu vois, j'ai réfléchi, et je crois que…

Je freine d'un coup sec. Mes yeux s'écarquillent. Ça commence même à tourner un peu.

Parce que là, dans la cuisine d'Émilie, assise sur un tabouret, en train de siroter un verre de bulles pendant qu'Émilie se remet à sa farine sur le comptoir, il y a Isa.

Isa chez qui je me suis réveillé pas plus tard qu'avant-hier.

Isa à qui je n'ai rien promis, de qui je n'attends rien… mais que j'ai toujours envie de voir.

Je pense qu'il vaut mieux que je m'assoie.

Je les regarde tour à tour, toutes les deux. Je pense que c'est la première fois que je les vois ensemble depuis le jour de l'An. C'est quelque chose que j'évite soigneusement depuis. Et je comprends tout à coup pourquoi.

– Qu'avais-tu à me dire de si important ? demande Émilie.

Isa ne dit rien. Elle me regarde, l'air amusé, par-dessus son verre. Comme si elle devinait mes pensées. Comme si elle savait que je suis passé à un cheveu de faire la gaffe la plus monumentale de ma vie.

– Seb?

C'est Émilie. Qui ne comprend rien à rien. Elle se demande encore ce que je venais lui annoncer. Comme si c'était encore important! Comme si ça comptait, à côté de ce *shift* cosmique que je viens de vivre!

– Seb? Mais réponds-moi! Qu'est-ce qui t'arrive?

Isa ne dit toujours rien. Elle, elle a tout compris.

Du moins, j'espère qu'elle a tout compris.

Mais d'abord, calmons Émilie. Qui a finalement l'air un peu cinglé, avec ses mèches de tous les côtés et sa farine sur le nez. Je ne sais vraiment pas ce qui m'a pris. C'est comme si je voyais trouble, depuis deux mois, et que je portais enfin des lunettes.

– Ah, c'était rien, Émilie. Que fais-tu?

– Des moelleux au chocolat, avec un cœur de chocolat blanc, pour Charles! Et Isa m'a préparé un super cocktail d'amoureux, à servir en rentrant, ce soir. Tu veux goûter?

Elle qui ne cuisine jamais. C'est comme ce souper de Noël, aussi, qu'elle a préparé pendant des siècles, pour lui et ses enfants. Elle l'aime. Ça crève les yeux comme elle l'aime.

Ce que j'ai pu être con. Sur toute la ligne.

– Des moelleux au chocolat ? C'est bien...

– C'est un peu difficile. C'est une recette d'Isa, et c'est la première fois que je la prépare. Et je lui ai interdit de m'aider ! Faut que ça vienne de moi.

Isa... La plus grande cuisinière de tous les temps. Quelle femme. Mais ne te distrais pas, Seb, reste normal. Du moins, aussi normal que tu puisses paraître en ce moment.

– En quel honneur lui fais-tu ce cadeau ? demandé-je.

– Pour notre anniversaire de couple, ça fait un an aujourd'hui, tu sais. Et bien sûr, pour la Saint-Valentin.

La Saint-Valentin ! La fête des amoureux. Que j'allais bêtement gaspiller en me déclarant à une amie d'enfance, qui est amoureuse d'un autre. Alors que j'ai depuis deux mois la femme la plus superbe du monde dans mon lit.

Faut-tu être complètement tata.

Et elle est là, dans la cuisine d'Émilie, à me sourire d'un air mystérieux, sans dévoiler son jeu.

Que pense-t-elle de moi ? Me trouve-t-elle à la hauteur ? Assez drôle, assez gentil, assez bon au lit, assez riche ?

Je pense que c'est sérieusement la première fois de ma vie que je me pose ces questions. Je me sens un peu malade.

Je regarde Émilie, qui mélange ses ingrédients d'un air déterminé. Sa pâte commence à prendre une drôle de couleur.

Je ne peux quand même pas me déclarer ici, dans cette cuisine enfarinée. Je regarde Isa fixement, essayant de communiquer avec les yeux. Elle m'ignore complètement et pitonne sur son iPhone.

Ça part mal.

Jusqu'à ce que…

Bip !

C'est mon téléphone.

Que je sors de ma poche, nonchalant.

J'ouvre mes messages.

C'est Isa !

« Que fais-tu ce soir ? »

Un méga sourire me fend le visage. J'essaie d'attirer son regard. Elle pitonne toujours sur son machin.

Bip !

« Parce que j'ai une idée en tête. »

Allez, Seb, retrouve l'usage de tes pouces ! Tu as quand même l'avantage du clavier BlackBerry de ton côté.

« Ce soir, je te dévore des pieds à la tête, du regard, de la bouche, de partout. Je te crie combien je t'aime, je te fais perdre tous tes repères. Ce soir, on recommence. »

J'envoie le message.

Je souffre trois longues secondes pendant qu'il fait son chemin sur les ondes cellulaires.

J'entends un bip.

Je vois Isa qui lit mon message.

Ses yeux qui s'écarquillent.

Son regard qui se lève vers le mien, incertain.

Mes yeux qui lui disent tout.

Son sourire qui naît.

Ses joues qui rougissent.

Émilie qui lui crie à tue-tête de se réveiller et de lui passer la vanille.

Charles

14 février, 19 h 10

Je suis arrivé au restaurant. Le premier. Émilie a insisté pour qu'on s'y rejoigne. «C'est plus romantique», qu'elle a dit. «Comme un premier rendez-vous.»

Elle n'a qu'à bien se tenir. Je m'y connais, moi aussi, maintenant, en matière de romance.

J'ai compris que ce ne sont pas nécessairement les grands gestes qui comptent, mais les petites attentions. Être à l'écoute. Deviner ce qu'elle veut avant qu'elle me le dise. La surprendre.

Je suis prêt!

Émilie

14 février, 19 h 15

Ouh, quel resto chic.

Chicos, même, dirait Ludovic (qui aime se donner des airs de Parisien).

Parfait.

Du romantisme à l'état pur.

Pour une fois, je suis contente de mon look, de la tête aux pieds. Mon jean préféré, celui qui cache miraculeusement mes (quelques) défauts. Chemisier top tendance, offert par Lucia. (Charles m'a déjà vue le porter, au jour de l'An... au resto une ou deux fois... en rentrant du travail... mais il est si beau que ça ne compte pas. Chaque fois est comme la première.) Cheveux qui pour une fois n'ont pas hurlé à l'aide sous l'effet de ma mise en plis maison, et se sont, au contraire, comportés comme de vrais petits anges. Maquillage réussi. (OK, maquillage réalisé par Isa. C'est une fée, cette fille.)

Ce qui gâche un peu mon look, par contre, c'est mon sac de papier tout froissé, avec un plat Tupperware dedans.

J'aurais dû le laisser dans la voiture.

Je donnerai les gâteaux à Charles, bien sûr, mais...

Je sais ce que vous pensez. Mes moelleux au chocolat sont très bien sortis. Même les petits cœurs en sucre sur le dessus sont impeccables.

(OK, si vous me tordez le bras : c'est Isa qui a fait la finition. Mais je l'ai laissée faire par altruisme, je vous jure ! Je crois que ça lui faisait mal, de me regarder massacrer mes gâteaux comme ça.)

Non, le problème, c'est qu'en route vers le restaurant, j'ai soudain trouvé un peu gênant de me pointer là avec un dessert maison dans mon sac.

Alors que ce restaurant est hyper réputé pour sa pâtisserie.

C'est un peu comme arriver dans un hôtel cinq étoiles et changer les draps du lit. Ou boire son cidre maison dans un bar. Ça ne se fait tout simplement pas.

J'ai donc paniqué, et fait un achat de dernière minute tout à fait raisonnable.

Du moins, j'espère qu'il est raisonnable.

Nous savons bien que le cadeau de Charles doit être plus gros que le mien (c'est l'équation anniversaire + Saint-Valentin + anniversaire de couple qui veut ça).

Or, mon cadeau de dernière minute est un peu gros.

Un chèque-cadeau pour... un nouveau vélo de montagne.

Ben quoi? Je n'ai pas pu m'en empêcher. Charles, je l'aime. Et il me parle de ce Specialized-machin-chose depuis si longtemps.

Hummm...

Avant de le lui donner, je devrais peut-être attendre de voir ce que lui va m'offrir.

C'est plus sûr.

Je ne veux pas le mettre mal à l'aise avec un si gros cadeau si lui n'avait prévu qu'un souper au restaurant, ou encore, une babiole.

Et s'il ne me donne rien, eh bien... je donnerai le vélo à mon frère.

Un instant.

Et s'il utilise la même stratégie? Et qu'on reste plantés là tous les deux, comme des idiots, avec nos gros cadeaux planqués dans nos poches?

Dieu que c'est compliqué, la vie de couple.

Voilà Charles!

Il m'embrasse sur la joue et je m'assois en face de lui.

Qu'il est beau.

Que je l'aime.

Nous discutons de tout et de rien, de nos journées, de l'épopée du mariage de mon frère, de notre voyage au Belize la semaine prochaine. (Aller-retour en deux jours pour Charles, qui vient de décrocher un gros contrat; deux jours de vacances de plus pour moi. *Playa* et soleil, j'arriiive!)

En toute honnêteté, je peine à suivre la conversation.

Que m'a-t-il acheté, que m'a-t-il acheté?

Calme-toi, Émilie.

C'est un peu matérialiste, de se soucier autant d'un cadeau.

Pas un cadeau, alors, mais une attention spéciale.

Quelque chose d'original, de personnalisé.

Un geste d'amour, un vrai!

Hum... Un vélo de montagne, ce n'est pas très personnalisé.

J'aurais peut-être dû... me faire tatouer son nom sur la poitrine!

Peut-être pourrais-je lui faire la surprise demain ?

Ne sois pas ridicule, Émilie. Ce n'est pas un cadeau, ça, c'est une preuve de folie. Le pauvre. Tu veux qu'il prenne ses jambes à son cou ?

Un vélo de montagne, c'est un cadeau très approprié pour souligner la Saint-Valentin + un an de relation amoureuse.

Mais seulement si lui m'a acheté quelque chose de plus gros pour souligner la Saint-Valentin + un an de relation amoureuse + mon anniversaire.

Argh !!!

20 h 15

Charles est d'excellente humeur. Il a commandé une bouteille de vin dispendieuse. (Enfin, j'imagine qu'elle est dispendieuse, à l'air empressé qu'a eu le sommelier quand Charles lui a indiqué son choix.)

Charles me regarde, les yeux brillants d'amour.

Je fais de même.

Je-veux-mon-cadeau !

Mon téléphone fait bip. Je jette un coup d'œil discret. C'est Isa.

« Je suis lâche de t'annoncer ça par texto, mais peux plus attendre, Seb et moi on s'aiiiiiiiime. »

N'importe quoi. La pauvre. Elle doit être complètement soûle.

Mais je n'ai pas le temps de lui répondre, car Charles me prend la main et me dit :

– Ah, et puis tant pis ! J'allais te le donner plus tard, mais tiens, c'est pour toi.

Elle lance, et compte !

Charles me tend un paquet bien emballé. Je l'ouvre à toute vitesse.

Oh !

Un livre.

Il semble très satisfait de son coup.

– Tu sais, tu m'en as parlé la semaine dernière ? Et il n'y en avait plus à ta librairie ? Eh bien, je l'ai vu en rentrant du travail et j'ai pensé à toi.

Le chèque-cadeau brûle dans ma poche.

– Oui, dis-je en bafouillant, c'est très gentil. Merci.

Je prends une grande gorgée de vin.

En toute honnêteté, ça goûte le Vivolo.

(Oui, je sais, je suis mesquine. Ça ne goûte pas vraiment le Vivolo. Mais je ne goûte rien et je ne sens rien.)

Nous sommes servis à ce moment-là, ce qui m'évite d'avoir à parler davantage. Je suis tellement hébétée que j'en oublie ma résolution de proposer à Charles de partager nos plats. Et lui, habitué à mes refus fréquents, ne le demande pas non plus.

Mon petit couple de nonagénaires ne serait pas fier de moi.

Et puis, je me demande bien ce qu'il lui a offert, à elle, pour leur premier anniversaire, il y a 69 ans.

Bon, OK, à cette époque, ça devait être un sac de patates. Ou peut-être une orange.

Enfin. Aujourd'hui, les centres commerciaux, ça existe !

Mais c'est l'amour qui compte, Émilie !

L'amour, l'amour.

Comme pour me narguer, je reçois à ce moment un courriel de mon frère.

« Sœurette, tu veux bien lire ce poème, sur la plage ? »

S'ensuit un superbe poème de Khalil Gibran. Très touchant.

Cette lecture met fin à mon humeur maussade et je le montre à Charles. Nous discutons quelques instants du mariage, puis de nos plans de vacances pour l'été (une semaine dans le Maine avec ses enfants puis une semaine bénie, seuls tous les deux à bord d'un voilier dans les Antilles).

Que de bonheur en perspective.

Et moi qui me suis offusquée d'un livre!

Quel manque de générosité.

Tiens, pour me reprendre, je vais le lui donner, le foutu chèque-cadeau. Mon rôle, c'est de le rendre heureux, non? Pas de tenir des comptes.

— Charles, mon chéri, j'ai un cadeau pour toi, moi aussi. Tu sais, un an avec toi, ç'a été l'aventure la plus extraordinaire de ma vie, et...

Il m'interrompt.

— Attends! Je veux te donner mon cadeau d'abord.

— Ton cadeau? Mais tu m'as déjà offert le roman.

— Ça? Voyons, Émilie, ce n'était pas un cadeau! Je l'ai vu et je l'ai ramassé pour toi en passant, c'est tout!

Ah.

Pauvre chéri, comment ai-je pu douter de lui de cette façon? Je me penche pour l'embrasser.

J'ai un peu de ravioli aux cèpes sur mon chemisier, mais ce n'est pas grave.

C'est l'amour qui compte.

Il me prend la main, plante son regard dans le mien, et me dit :

– Émilie, tu es la femme de ma vie.

Ho! Punché, comme entrée en matière. J'aime.

Il continue :

– Je sais que ça n'a pas toujours été facile, avec mes enfants, mais ils savent que tu es là pour rester. Et c'est pour cela qu'il me fait un grand plaisir de te demander si...

Et il pousse une petite boîte rouge vers moi.

Il pousse une petite boîte rouge vers moi!

Le cœur battant, je la saisis.

Je l'ouvre.

Elle contient... un collier.

Un collier qui a étrangement l'air d'avoir été confectionné par sa fille.

À la va-vite, je dirais.

Tiens, je reconnais les pierres que je lui ai offertes pour Noël.

Mais pourquoi diable me donne-t-il un des colliers de sa fille en cadeau?

Je lève les yeux vers lui, confuse. Il m'encourage du regard à examiner le collier.

Je le prends dans mes mains.

Je le déroule.

Au bout du collier pend... une clé.

Mon ventre qui se noue comprend avant moi.

Je n'ai plus qu'une chose à dire :

– Oui !

– Pâques –

Moi je n'étais rien et voilà
qu'aujourd'hui

Florence

3 avril, 10 h 10

Tout va pour le mieux au royaume des vieux. J'en ai même mal au cœur, tellement ils se croient *matures*. Pour le brunch de Pâques, on mange tous chez mon père et Émilie. Tous, c'est-à-dire moi (bien sûr), Julien (double bien sûr), papa, Émilie, son amie Isa avec son chum Seb-qui-ressemble-à-Robert-Pattison-je-me-meurs, maman et... son nouveau chum, Luc.

Honnêtement, sur une échelle de un à dix, qu'elle se fasse un chum, ça me tente ... un. Peut-être deux. Depuis le divorce, chez maman, on avait la paix. Alors que chez papa... Elle est correcte, Émilie, mais... Depuis qu'elle a emménagé avec nous, elle a tout redécoré. Tout. Pas ma chambre, quand même, mais ce n'est pas l'envie qui semblait manquer. Elle avait la fâcheuse manie de laisser traîner des échantillons de peinture près de ma porte, pendant un moment. Je pense qu'elle a vite compris que mes posters de *Twilight* et de *Hunger Games* étaient là pour rester.

D'ailleurs, en voilà, une question existentielle. Depuis quelque temps, je souffre. Je suis déchirée entre mon amour inconditionnel pour *Twilight* et ma passion grandissante pour *Hunger Games*. Je n'aurais jamais cru qu'une telle chose serait possible.

Edward et Jacob seront TOUJOURS plus hot que Peeta et Gale, mais... si j'avais à choisir, je pense que je préférerais être Katniss Everdeen plutôt que Bella.

En passant, je tiens à préciser que ce n'est PAS pour ça que j'ai voulu m'inscrire au club de tir à l'arc (qui était plein), quoi qu'en dise ma meilleure amie Coralie. Coralie se trouve bien *smatte* avec ses sonates et son Mozart. Elle s'imagine plus tard en virtuose super rebelle, comme cette violoniste techno-funk, Vanessa Mae. Pfft! Elle a beau porter une robe de cuirette pour jouer de la musique, Katniss Everdeen n'en ferait qu'une bouchée, de Vanessa truc-machin. Bella aussi, même pré-morsure-pour-lui-sauver-la-vie-et-mettre-fin-à-cette-impasse-morale-qui-s'est-étirée-quatre-livres-de-temps. (Aïe. Mon allégeance indéfectible à *Twilight* commence vraiment à faiblir. Jamais je n'aurais cru être du genre infidèle.)

11 h 15

Émilie court partout comme un bourdon. Elle replace trois fois le même coussin. Elle devrait laisser tranquille le fauteuil du salon et courir à la cuisine. Je ne dis rien, mais je trouve que ça commence à sentir un peu le brûlé.

Ce qu'il y a de bien, chez mon père, c'est que 95 % du temps, on commande. Chinois, thaïlandais, italien, grec, mon père fait vivre la diaspora gastronomique du quartier. Et je ne m'en plains pas, au contraire. Parce que les rares fois où Émilie décide de cuisiner...

Disons que les pompiers sont déjà venus chez nous.

Sans commentaire.

La voilà qui revient (encore) au salon.

– Trouves-tu que c'est mieux ? demande-t-elle à mon père en faisant une pirouette.

De toute évidence, elle s'est changée.

Ne sait-elle pas qu'il n'y a rien qui ressemble autant à une petite robe noire qu'une autre petite robe noire ?

Mon père, diplomate, approuve son choix. (Il est impeccable depuis ma cure de films romantiques. Vraiment. Émilie devrait me baiser les pieds de reconnaissance.)

Puis, je remarque qu'elle porte encore LE collier. Celui de la Saint-Valentin. Qui n'est même pas si beau. Je l'ai fait vite, et il ne me restait plus beaucoup de pierres. Mais elle m'a remerciée en pleurant, le lendemain. En s'épanchant, me confiant combien ce cadeau était symbolique, parce que c'est là qu'elle a compris que je l'acceptais enfin dans nos vies, et que cette invitation à emménager avec nous venait de moi aussi, bla, bla, BLA.

Comme je l'ai déjà dit, elle est correcte, Émilie, et je veux que mon père soit heureux. Mais de là à devenir ma nouvelle BFF, il y a un pas. Que je ne franchirai pas.

Enfin, si elle a envie de continuer à porter ce collier un peu moche, grand bien lui en fasse.

En plus, je crois que ce sera mon dernier. De collier, je veux dire. Tout compte fait, je trouve vraiment le cinéma plus intéressant. Ç'a plus de profondeur que le design de bijoux. Je suis un cours de cinéma, à l'école, et j'aimerais être scénariste. Ou réalisatrice. Ou productrice. Je ne l'ai pas encore dit à Coralie, qui est de nature moqueuse. Mais ce n'est pas un projet plus fou que son histoire de musique classique à la sauce funk.

D'autant plus que...

Revenons au nouveau chum de ma mère.

Il y a deux semaines. Je mangeais tranquillement mes céréales. Julien mangeait tranquillement sa crêpe aux bleuets. Tante Madeleine était là. Sur le coup, je n'ai pas trouvé bizarre qu'elle soit à la maison de si bon matin (elle est plutôt du genre lève-tard). Maintenant, je sais que maman lui avait demandé de venir pour ne pas être seule à nous affronter.

Voici ce qui s'est passé.

INT : Cuisine. Vieille femme (maman) parle à jeune garçon ordinaire et à jeune fille d'une exceptionnelle beauté (ben quoi!). Deuxième vieille femme les observe, assise dans un coin.

Jeune fille : Crounch! Crounch!

Jeune garçon : Beurp!

Vieille femme numéro 1 : Julien! Excuse-toi!

Jeune garçon (marmonnant) : Scuse.

Vieille femme numéro 2 : Arrête de tergiverser, Marie-Ève. Ils sont grands.

Vieille femme numéro 1 : Je sais. Mais c'est dur.

Vieille femme numéro 2 : Tu es une femme superbe, dans la fleur de l'âge. Tu mérites d'avoir ta vie.

Jeune fille : Crounch ! Crounch !

Vieille femme numéro 1 : Les enfants, j'ai quelque chose à vous annoncer.

Jeune garçon : Beurp !

Vieille femme numéro 1 : Julien !

Vieille femme numéro 2 : Si tu ne craches pas le morceau, Marie-Ève, c'est moi qui le ferai pour toi.

Vieille femme numéro 1 : OK, OK. Les enfants, je voulais vous annoncer que... j'ai rencontré quelqu'un.

Jeune fille arrête de crouncher.

Jeune garçon continue de mâcher, imperturbable.

Vieille femme numéro 1 (parlant très vite, comme si elle voulait tout déballer d'un coup) : Il-s'appelle-Luc-vous-le-connaissez-peut-être-c'est-Luc-Mongeau-le-cinéaste-je-crois-qu'il-vous-plaira-j'aimerais-que-vous-le-rencontriez-ça-commence-à-être-sérieux-entre-nous.

Vieille femme numéro 1 s'écroule sur sa chaise. Vieille femme numéro 2 lui sert un café dans lequel elle verse une quantité alarmante de liquide ambre issu d'une bouteille miniature dissimulée dans sa manche.

Alors c'est ça qui est ça. Luc Mongeau. Cinéaste pas juste connu un peu. Très connu. Cinéma d'auteur. Succès d'estime. En lice pour l'Oscar du meilleur film étranger en 2004.

Si au moins elle nous avait ramené un de ces cinéastes qui ont transformé le cinéma québécois en succession de comédies bébêtes où on semble toujours retrouver un policier ou un humoriste (ou les deux). J'aurais pu le haïr un peu.

Mais non. Luc Mongeau. Je n'ai pas eu le choix d'être polie, quand je l'ai rencontré. Émilie se serait évanouie si elle avait vu le traitement auquel il a eu droit, à la première rencontre. Alors que j'ai été, disons, un tantinet froide avec elle, au début.

En plus, Luc et Émilie se connaissent. Elle l'a interviewé, une fois, il y a des siècles, pour un machin poche à son émission de télé (on pourrait croire que le fait que la blonde de mon père travaille à la télé lui ajoute un facteur cool, mais c'est sans compter la nullité ABSOLUE de ladite émission).

Bref, maman a un chum (ouaip). Papa a été mis au courant. Pas par moi, par maman, au téléphone. Et voilà que mes parents tellement matuuuuuures ont décidé de se réunir, avec leurs douces moitiés, pour fêter Pâques avec nous. J'espère que ce n'est pas le début d'une nouvelle tradition. Beurk.

Tante Madeleine pense comme moi. Je les ai entendues discuter, toutes les deux.

Tante Madeleine : Tu ne trouves pas que vous exagérez ? Vous avez bien le droit de vivre chacun vos vies, non ?

Maman : Bah. Lui qui était si fier de sa poulette, ça lui fera peut-être du bien de me voir avec Luc.

Tante Madeleine : Voyons. Tu sais très bien que c'est toi la première qui...

Maman : Madeleine ! Tais-toi. Les enfants vont entendre.

Tante Madeleine : Comment il s'appelait, déjà ? Ton étalon ? Enrique ?

Maman (riant) : Chuuuut !

Tante Madeleine : OK, OK. Alors tu les reçois ici, Charles et sa poulette ?

Maman : T'es folle ! Bien sûr que non. C'est ici que je vivais avec Charles.

Tante Madeleine : C'est vrai que ce serait délicat de jouer à la châtelaine avec Luc.

Maman : Vaut mieux chez lui. Elle va inviter des amis, aussi, pour que tout le monde soit moins mal à l'aise.

Tante Madeleine : Tu vois ! Exactement ce que je disais. Si vous êtes mal à l'aise, pourquoi le faire ?

Maman : Pour les enfants !

Les enfants, les enfants. Je ne suis plus une enfant, quand même. Et j'aimerais mieux aller niaiser chez Coralie que de bruncher avec la famille reconstituée la plus *weird* de l'histoire.

12 h 14

C'est aussi pire que je pensais. La quiche goûte le brûlé. Les œufs sont secs. Il n'y a que le gravlax de saumon qui est mangeable. Luc pérore. Il est peut-être doué, mais il le sait. Malgré tout, je demeure très, très, très polie avec lui. Qui sait. Mon avenir professionnel en dépend peut-être.

Papa et Émilie se regardent les yeux dans les yeux. C'est à peine s'ils ne roucoulent pas à table. Peut-être que, finalement, ils devraient écouter des films d'action, ensemble. L'histoire du romantisme, ils ont pris ça un peu trop au sérieux.

Seb, lui, est hi-la-rant. Vraiment. Quand je serai grande, j'en veux un comme lui.

Isa, elle, semble un peu distraite. Elle a mangé son morceau de quiche brûlée, alors que tout le monde l'a tassé sur un côté de l'assiette. Elle ne touche pas au gravlax de saumon, alors que c'est le seul truc à peu près mangeable. Elle n'a pris la parole que pour raconter une histoire complètement ennuyante, au sujet d'une de ses collègues, Zoé-machin-chose, qui se serait fait renvoyer pour avoir couché avec un de ses clients. (Là, papa s'est raclé la gorge et a fait un signe de tête dans ma direction et celle de Julien, comme si on n'avait jamais entendu d'histoire pareille. Allo, on regarde des films, OK?)

Émilie sert le dessert, une brioche à la cannelle heureusement confectionnée par la pâtisserie du coin. Tout le monde se jette dessus. Moi aussi. J'avais faim. Papa fait un petit discours sirupeux, pour remercier tout le monde de s'être réuni, et il ouvre une bouteille de champagne qu'il verse dans un grand bol de punch (non sans nous en avoir versé un petit verre avec du Perrier, à Julien et à moi).

Isa, toute blanche, murmure: «C'est peut-être le bon moment.»

Mais personne ne l'entend. Juste moi, parce que je suis assise à côté d'elle.

Isa se reprend.

– J'ai quelque chose à vous annoncer, dit-elle un peu plus fort.

Tout le monde se tourne vers elle. Seb bombe le torse.

– Je... je suis enceinte.

Émilie hurle comme une hyène qu'on égorge. Je pense sincèrement que la veine qui pulse sur son front va éclater. Puis elle se lève, elle embrasse Isa, elle embrasse Seb, papa se met de la partie, même maman et Luc semblent se laisser emporter par l'euphorie générale. Moi, je me retire dans le fauteuil du salon et je saisis mon iPad. Julien joue aux jeux vidéo depuis un bon moment déjà.

Mais je ne peux m'empêcher de continuer à suivre leur conversation. C'est mon prof de cinéma qui l'a dit : la qualité première d'un bon raconteur, c'est l'écoute. C'est le tissu de nos rencontres qui nous inspire.

Je me demande si Luc aussi prend des notes.

Émilie (hyperventilant ou presque) : C'est formidable ! Un bébé ! C'est pour quand ?

Isa (l'air heureuse mais un peu malade) : Décembre.

Émilie (au paroxysme de l'énervement) : Un bébé de Noël ! Wow !

Maman (vaguement polie): Vous êtes ensemble depuis longtemps?

Isa (gênée): Non. Quelques mois à peine.

Seb (galant): À notre âge, quand on sait, on sait. Les choses déboulent vite.

Papa serre la main d'Émilie.

Lui adresse un clin d'œil complice.

Oh.

Ça, je ne suis pas sûre d'aimer ça.

- FIN -

les recettes d'isa

Jour de l'An

Folie de bulles

INGRÉDIENTS
- 1 fleur d'hibiscus
- 1/2 oz (15 ml) de jus de citron
- 1/2 oz (15 ml) de sucre de canne liquide
- 2 oz (60 ml) de jus de canneberge blanc
- Champagne Moët & Chandon Brut Imperial
- Glace

PRÉPARATION
1. Dans un shaker, mettre le jus de citron, le sucre de canne et le jus de canneberge blanc. Ajouter de la glace et remuer énergiquement de 8 à 10 secondes.
2. Dans une coupe à champagne, placer une fleur d'hibiscus. Verser le contenu du shaker à travers une passoire à glaçons, dans la coupe à champagne.
3. Terminer avec le Champagne Moët & Chandon Brut Imperial.

Dégustez!

Saint-Valentin

Élixir amoureux

INGRÉDIENTS
- 3 framboises
- 1/2 oz (15 ml) de jus de citron
- 1/4 oz (7 ml) de sirop de rose
- 1/2 oz (15 ml) de crème de cassis
- 1 oz (30 ml) de vodka Belvedere
- 1 oz (30 ml) de jus de canneberge blanc
- 2 oz (60 ml) de Domaine Chandon Rosé
- Glace

PRÉPARATION
1. Dans un shaker, mettre les framboises, le jus de citron, le sirop de rose et la crème de cassis. À l'aide d'un pilon, écraser le tout. Ajouter ensuite la vodka Belvedere, le jus de canneberge blanc et la glace. Secouer énergiquement de 8 à 10 secondes.
2. Verser le contenu du shaker dans une coupe à champagne, à travers une passoire à glaçons.
3. Terminer avec le Domaine Chandon Rosé.

IDÉE DÉCO
Avant de servir, ajouter une belle brochette de framboises sur le bord de chaque coupe.

Dégustez !

Moelleux au chocolat, cœur de chocolat blanc, crème anglaise à la vanille de Madagascar

INGRÉDIENTS
Moelleux au chocolat noir :
- 1/2 t. (125 ml) de beurre salé
- 1 1/2 c. à soupe de sirop d'érable
- 2 œufs
- 2 jaunes d'œufs
- 1/3 t. (80 ml) de sucre
- 2/3 t. (160 ml) de farine
- 1 t. (250 ml) de chocolat noir
- 12 pastilles de chocolat blanc

Crème anglaise :
- 4/5 t. (200 ml) de lait
- 2 jaunes d'œufs
- 1/3 t. (80 ml) de sucre
- 1 gousse de vanille de Madagascar

Facultatif :
- 1 barquette de petits fruits
- 2 c. à soupe (30 ml) de sucre glace

PRÉPARATION
Préparation des moelleux au chocolat noir :
1. Préchauffer votre four à 400 °F (200 °C).
2. Dans un bol, déposer les œufs et les jaunes d'œufs et fouetter.
3. Dans un bain-marie, faire fondre le chocolat noir avec le sirop d'érable et le beurre.
4. Retirer du feu et ajouter les œufs et les jaunes d'œufs, puis mélanger.

5. À l'aide d'un fouet, mélanger la farine et le sucre et ajouter au mélange de chocolat. Bien mélanger.

6. Graisser légèrement des moules et les placer sur une plaque de cuisson. Répartir un peu de mélange au chocolat dans les moules, déposer 3 pastilles de chocolat blanc et les recouvrir de mélange au chocolat.

7. Faire cuire au four de 10 à 15 minutes, jusqu'à ce que le dessus commence à être mat.

8. Sortir les moules du four et laisser reposer pendant 5 minutes avant de les retourner.

Préparation de la crème anglaise :

1. Couper la gousse de vanille en 2 sur la longueur et gratter les graines de vanille.

2. Dans un bol, battre les jaunes d'œufs et le sucre jusqu'à ce que le mélange blanchisse.

3. Ajouter les graines des gousses de vanille et continuer à battre le mélange.

4. Dans une casserole, porter à ébullition le lait avec la gousse de vanille et en verser la moitié sur le mélange d'œufs afin de tempérer l'appareil.

5. Verser le tout à nouveau dans la casserole et faire cuire à feu doux en remuant constamment avec une spatule jusqu'à ce que la crème puisse napper le dos d'une cuillère. Retirer du feu immédiatement, transférer dans un bol et laisser refroidir.

PRÉSENTATION

1. Retourner les moules de moelleux sur des assiettes et servir immédiatement avec la crème anglaise dans des petites verrines.

IDÉE DÉCO

Avant de servir, agrémenter de petits fruits rouges pour une touche de couleur ou saupoudrer du sucre glace de manière à former un cœur sur le dessus des moelleux.

Dégustez!

Pâques

Punch pascal

INGRÉDIENTS

- 12 fraises en morceaux
- 5 gouttes d'extrait de vanille
- 8 à 10 feuilles de menthe
- 1 oz (30 ml) de sirop de fraises
- 1 litre de jus d'orange ou de mangue
- 1 bouteille de Domaine Chandon Brut
- Glaçons

PRÉPARATION

1. Dans un grand bol à punch ou un beau saladier, mettre tous les ingrédients sauf le Domaine Chandon. Laisser au réfrigérateur pendant au moins 2 heures.
2. Au moment de servir, ajouter des glaçons et le Domaine Chandon Brut. Bien remuer avant de servir dans des verres à vin.
3. Pour une version sans alcool, remplacer le Domaine Chandon Brut par du Perrier aromatisé au citron.

Dégustez!

Les recettes d'Isa ont été créées avec enthousiasme et générosité par Fanny Gauthier, copropriétaire d'Ateliers & Saveurs, école de cuisine, cocktails et vins pour tous, située dans le Vieux-Montréal et à Québec. Elle est une grande spécialiste des cocktails qu'elle crée avec passion depuis plus de 15 ans.

www.ateliersetsaveurs.com

Remerciements

Waouh. Un roman que je n'étais pas certaine de finir à temps, qui s'est tout de même rendu à bon port, grâce, comme toujours, aux encouragements de ma première lectrice, Maymuchka Lauriston, qui a vu avant moi qu'Isa était devenue mon héroïne, et aux bons soins de mon éditrice et amie, Ingrid Remazeilles, qui sait me tenir la main avec une efficacité redoutable. Merci aussi à Sophie Bérubé, auteure et animatrice, qui sait toujours calmer mes angoisses d'écrivaine. (Ben quoi! Les auteures de comédies romantiques ont le droit d'être torturées comme les autres.)

Merci à Alain Delorme, Judith Landry, Marilou Charpentier, Corinne De Vailly, Fleur Neesham, Élaine Parisien et Marjolaine Pageau grâce à qui ce roman se trouve entre vos mains. Un gros merci à la talentueuse Eva Rollin, qui a encore une fois dessiné une page couverture que j'adore, et à la pétillante Fanny Gauthier d'Ateliers & Saveurs, qui a conçu les cocktails aux bulles d'Isa.

Merci à Sheridan (qui mérite la première étoile du match pour la plus belle Saint-Valentin de tous les temps), à Samuel et Leila, à mes parents, à mon frère et à Mila, à Assia, Samou, Louisa, Momo, Andy et Katie, qui ont passé avec nous les vacances consacrées à l'écriture de ce roman.

À Ariane, surtout, à qui ce roman est dédié, parce qu'elle est la meilleure belle-sœur, maman, amie, copine de magasinage et copotineuse du monde.

Merci enfin à mes lecteurs et lectrices. Vous n'avez pas idée comme votre présence, vos commentaires et votre soutien indéfectible font de ce métier une joie. On écrit par passion, et la récompense nous vient de vous, chaque fois que vous choisissez notre livre parmi tant d'autres, que vous le lisez, le commentez, et en parlez autour de vous. Merci.

Facebook : NadiaLakhdariKing
Twitter : @nadialakhdari

De la même auteure, chez le même éditeur :

Éléonore 1. Le quartier de l'orgueuil, roman,
Les Éditions Goélette, 2010

Éléonore 2. Les détours nécessaires, roman,
Les Éditions Goélette, 2010

Éléonore 3. La fin des reproches, roman,
Les Éditions Goélette, 2011

N'oublie pas mon petit soulier, roman,
Les Éditions Goélette, 2011

Nadia Lakhdari King

En librairie

n'oublie pas mon petit soulier

« J'ai A-DO-RÉ. Rythmé, efficace, tellement pas prévisible. Du bonbon. »
— Annie Quintin, auteure de *Désespérés s'abstenir*

« Un délicieux conte de Noël, à dévorer sans modération. »
— Isabelle Laflèche, auteure de *J'adore New York*

« Léger et pétillant comme un mousseux. » — *Le Journal de Montréal*

« Aussi réconfortant que *Miracle sur la 34ᵉ rue*, à l'esprit de Noël contagieux. »
— *7 Jours*

www.editionsgoelette.com
www.facebook.com/EditionsGoelette

Les Éditions Goélette